Cyfrinach Plas Hirfryn

SIÂN LEWIS

LLUNIAU MARIA ROYSE

Gomer

Cyhoeddwyd gyntaf yn 2011 gan
Wasg Gomer, Llandysul, Ceredigion, SA44 4JL.
www.gomer.co.uk

ISBN 978 1 84851 399 0

Noddwyd gan Lywodraeth Cynulliad Cymru.

Argraffwyd a rhwymwyd yng Nghymru gan
Wasg Gomer, Llandysul, Ceredigion.

1

'Ledi Hanna!'

Agorodd Ledi Hanna'i llygaid. Roedd ei stiward yn rhedeg tuag ati. 'Milwyr!' crawciodd hwnnw. 'Milwyr y frenhines!'

Drwy ddrws agored y neuadd daeth sŵn carnau'n carlamu.

Cododd Ledi Hanna ar ei thraed ar frys. 'Caewch y drws!' gorchmynnodd. 'A chadwch y milwyr wrth y gât cyhyd ag y gallwch chi.'

Wrth i'r drws gau, cydiodd Ledi Hanna ym mraich y dyn y bu'n penlinio o'i flaen. Er bod pawb arall yn y neuadd wedi troi i gyfeiriad yr iard ac yn gwrando mewn braw ar y gweiddi bygythiol, safai'r dyn hwnnw'n dawel a gwylaidd, a chwpan gwin yn ei law.

'Y Tad Harri,' meddai Ledi Hanna. 'Chân nhw mo'ch dal chi. Rydyn ni wedi paratoi ar eich cyfer.'

Ar unwaith, brysiodd un o'r gweision tuag at y lle tân â rhaw yn ei law. Gyda'r rhaw fe grafodd foncyffion y tân i'r naill ochr i wneud llwybr tuag at gefn y simne fawr.

'Bendith arnoch chi i gyd,' sibrydodd y Tad Harri, gan wneud arwydd y groes. Neidiodd diferyn o win o'r cwpan a thasgu ar y tân wrth i Ledi Hanna ei hysio drwy'r drws cudd yng nghefn y simne.

Caeodd y drws y tu ôl iddo, a suddodd y Tad Harri i'r llawr. Roedd e mewn tywyllwch dudew, wedi'i garcharu mewn cell fach dim mwy na maint cwpwrdd. O flaen drws ei gell roedd y gwas yn crafu'r boncyffion yn ôl i'w lle, a'r morynion yn brwsio'n brysur i ddileu'r olion traed. Clywodd wich y gadair fawr wrth i Ledi Hanna ddisgyn i mewn iddi, sŵn cerddorion yn taro tant a lleisiau'n canu'n swynol.

Ond y tu allan ar yr iard roedd lleisiau croch a rhuthr traed i'w chlywed. Taflwyd drws y neuadd ar agor, a thawodd y canu.

Cododd Ledi Hanna i wynebu'r hanner dwsin o filwyr oedd yn brasgamu tuag ati.

'Pwy roddodd ganiatâd i chi dorri i mewn i 'nghartref i?' gofynnodd yn chwyrn.

'Ble mae'r Tad Harri?' oedd yr ateb swta.

'Y Tad Harri?' Roedd llais Ledi Hanna'n crynu.

Yn ei guddfan crynai'r Tad Harri hefyd, a sŵn curiadau'i galon yn llenwi'r gell. Dim ots sawl gwaith oedd e'n cuddio fel hyn, roedd e'n dal i deimlo'n llawn arswyd.

'Ry'n ni'n gwybod ei fod e yma,' chwyrnodd capten y milwyr. 'Mae rhywun wedi'i weld e.'

'Pwy, felly?' gofynnodd Ledi Hanna'n heriol.

'Cymro sy'n ffyddlon i'w frenhines. Yn wahanol i chi.'

'Rydyn ni'n ffyddlon.'

'Dy'ch chi ddim yn ffyddlon i Eglwys Loegr. Catholigion ydych chi. Peidiwch â gwadu hynny.'

Wnaeth Ledi Hanna ddim gwadu, dim ond gwasgu'i gwefusau'n dynn.

'I arbed eich cartref ac arbed eich bywyd, dwedwch wrthon ni ble mae'r offeiriad.'

'Alla i ddim,' meddai Ledi Hanna.

'Fyddwn ni fawr o dro cyn dod o hyd i'r cnaf beth bynnag. Ddynion!' cyfarthodd y capten. 'Chwiliwch ym mhob twll a chornel!'

Clywai'r Tad Harri sŵn celfi'n cael eu taflu i'r llawr, ac yna sŵn dyrnau'n curo'r waliau. Roedd y milwyr yn gyfarwydd â phob tric. Roedden nhw'n gwybod bod teuluoedd Catholig yn gwneud cuddfannau yn eu waliau, lle gallai offeiriad swatio. Dyn o'r enw Nicholas Owen oedd wedi gwneud y guddfan hon ar gyfer y Tad Harri. Roedd e wedi'i hadeiladu yn y simne fawr y tu ôl i'r lle tân hynafol ym Mhlas Hirfryn. Doedd y milwyr ddim wedi dod ar draws cuddfan mewn simne o'r blaen. Gyda lwc, fydden nhw ddim yn cicio'r boncyffion o'r ffordd ac yn sylweddoli bod cerrig ffug yn wal y simne.

Teimlai'r Tad Harri mor boeth â'r tân ei hun. Diferai'r chwys i lawr ei dalcen ac i mewn i'r cwpan gwin yn ei law. Gwin y cymun oedd hwn. Roedd yn rhaid i bawb oedd yn dilyn y ffydd Gatholig dderbyn cymun gan offeiriad, ond doedd dim eglwysi Catholig yng Nghymru na Lloegr erbyn hyn oherwydd bod y frenhines wedi eu gwahardd. Roedd y Tad Harri'n mentro'i fywyd bob tro roedd e'n gweinyddu'r cymun, ac roedd pobl fel Ledi Hanna'n mentro hefyd.

Cnoc! Cnoc! Cnoc! Daeth y sŵn curo'n nes ac yn nes. Clywai foncyffion yn cael eu sathru a chi'n cyfarth. Ci annwyl oedd Llywelyn, sbaniel bach Ledi Hanna. Roedd e'n ysgwyd ei gynffon bob tro y gwelai'r Tad Harri. Gweddïodd y Tad na fyddai'n ysgwyd ei gynffon ac yn arwain y milwyr yn syth at y simne.

'Mae'r cnaf wedi dianc!' Atseiniodd llais y capten drwy'r neuadd. Sugnodd ei anadl drwy'i ddannedd, ac ysgyrnygu ar Ledi Hanna. 'Mae e wedi dianc am y tro, ond fe ddaliwn ni e'r tro nesa. A chithau hefyd, Ledi Hanna.'

'Dydw i erioed wedi gwneud drwg i neb,' atebodd Ledi Hanna'n ddewr.

'Rydych chi'n gwneud drwg i'ch gwlad ac i'ch brenhines,' atebodd y capten.

Cleciodd traed trwm ar y llawr wrth i'r milwyr anelu am y drws. Gweryrodd y ceffylau yn yr iard, ac yn y neuadd dechreuodd y cantorion hymian yn dawel.

O'r diwedd, tawodd sŵn y carnau wrth i'r milwyr garlamu i ffwrdd. Roedd Ledi Hanna wedi mynd at y drws.

'Pawb wedi mynd?' galwodd yn grynedig.

'Pawb wedi mynd, Meistres.'

Ochneidiodd Ledi Hanna'n falch, a brysio'n ôl at y simne. Roedd hi ar gymaint o frys nes dal hem ei sgert yn beryglus o agos i'r tân. Rhedodd y gweision i symud y boncyffion, ond sylwodd Ledi Hanna ddim. Gan daflu un edrychiad ofnus dros ei hysgwydd, fe estynnodd at y drws yn y wal a'i dynnu ar agor. Straffaglodd y Tad Harri drwy'r bwlch, a daliodd pawb yn y neuadd eu hanadl mewn braw. Roedd chwys yn byrlymu i lawr wyneb yr offeiriad ifanc, a'i goesau

9

wedi cyffio, ond roedd y cwpan gwin yn dal yn ddiogel yn ei law.

Brysiodd un o'r gweision ato i roi help llaw, a'i arwain at gadair fawr Ledi Hanna. Dim ond pwyso yn erbyn y gadair wnaeth y Tad Harri. Penliniodd Ledi Hanna o'i flaen unwaith eto.

Chwaraeodd y cerddorion eu hofferynnau, a diffoddodd y goleuadau'n raddol.

Am eiliad, wedi i'r gerddoriaeth orffen, doedd dim smic o sŵn i'w glywed yn unman.

Pawb yn dal eu hanadl yn y tywyllwch.

Pawb yn ail-fyw'r braw a'r dychryn.

Ac yna, wrth i'r golau llachar ffrydio drwy neuadd Ysgol Llanaron unwaith yn rhagor, rhoddodd y gynulleidfa ochenaid hir o ryddhad. Drama oedd y cyfan. Drama ardderchog! Neidiodd pawb ar eu traed a churo dwylo'n frwd.

2

O'r llwyfan edrychodd Hanna a Harri James, sêr
y ddrama, ar y môr o wynebau llon o'u blaenau.
Yn eu canol roedd Mam, Dad a Mam-gu'n
gwenu fel gatiau, yn curo dwylo ac yn stampio'u

traed. Yn eu hymyl roedd Maria, ffrind newydd Mam, yn syllu'n geg agored i gyfeiriad y llwyfan. Sbaenes wedi dysgu Cymraeg oedd Maria. Yn amlwg doedd hi ddim wedi arfer â pherfformiad mor ddramatig na churo dwylo mor wyllt!

Doedd Mr Edwards, prifathro Ysgol Llanaron, ddim wedi arfer â'r fath gymeradwyaeth 'chwaith. Edrychodd dros ei ysgwydd, wincio ar actorion Blwyddyn 6 a sibrwd, 'Da iawn chi!'

O flaen y llwyfan ac wrth ochr Mr Edwards safai Mrs Stella Lester, 'Ledi' go iawn Plas Hirfryn – y plasty ar gyrion Llanaron lle roedd hen guddfan offeiriad yn wal y simne fawr.

'Gyfeillion!' galwodd Mr Edwards, a chodi'i law i dawelu'r gynulleidfa. 'Mae'n amlwg eich bod chi wedi mwynhau ein sioe Nadolig ni. Dw i am ddiolch i bawb sy wedi helpu i wneud y perfformiad yn un mor arbennig, yn rhieni, plant a chyfeillion. Dw i am ddiolch yn arbennig i Mrs Stella Lester, sy newydd deithio'n ôl o Lundain er mwyn bod gyda ni heno. Fis Medi diwetha fe gafodd Blwyddyn 6 wahoddiad gan Mrs Lester i fynd i Blas Hirfryn. Ffrwyth yr ymweliad hwnnw yw'r ddrama "Cyfrinach Plas Hirfryn" rydych chi newydd ei gweld. Ar ben hynny, mae Mrs Lester wedi rhoi cyfraniad hael iawn i'n hachos da ni eleni, sef Prosiect Cyfeillion Colombia.'

Ailddechreuodd y gymeradwyaeth, nes i Mrs Lester godi llaw i'w ddistewi.

'Y plant sy'n haeddu'r clod, nid fi,' meddai yn ei llais bonheddig. 'Maen nhw i gyd, o'r ieuengaf hyd yr hynaf, wedi gwneud gwaith arbennig. A dw i mor falch eu bod nhw'n rhoi o'u gorau i helpu plant eraill llai ffodus na nhw, plant sy'n aml yn byw mewn braw a dychryn – yn union fel y cymeriadau yn y ddrama.'

'Diolch yn fawr, Mrs Lester,' meddai Mr Edwards, yn wên o glust i glust. 'Mae'r ysgol gyfan wedi gwneud gwaith ardderchog, ond dw i am gyfeirio'n arbennig at Flwyddyn 6, gan mai hwn fydd eu cyngerdd Nadolig ola nhw. Nid yn unig fe actiodd Blwyddyn 6 yn y ddrama ry'ch chi newydd ei gweld, ond nhw hefyd sgrifennodd y sgript.'

Ffrwydrodd y gymeradwyaeth unwaith eto.

'A dw i'n meddwl eu bod nhw wedi gwneud gwaith gwych. Nhw feddyliodd am ddefnyddio iard yr ysgol, yn ogystal â'r neuadd. Credwch neu beidio, pan oeddech chi'n clywed sŵn carnau'r ceffylau'n agosáu, Ieuan a Berwyn oedd yn curo cnau coco. A phan oedd y ceffyl

yn gweryru, pwy oedd yn gyfrifol, tybed?'
Rhoddodd Mr Edwards ei law wrth ei glust, a
gweryrodd Hayley ar y llwyfan nes bod pawb yn
eu dyblau'n chwerthin.

'Dw i'n siŵr y byddech chi'n cytuno,' meddai
Mr Edwards, 'eu bod nhw wedi creu awyrgylch
wirioneddol iasol.'

Nodiodd pawb eu pennau'n gytûn.

'Pan ddaeth capten y milwyr i mewn, ro'n i'n
teimlo croen gŵydd drosta i i gyd, yn meddwl,
diolch byth! Diolch byth nad yw hyn yn digwydd
yng Nghymru heddi.'

'Ie wir,' mwmiodd ambell un yn y gynulleidfa.
Roedd pawb – gan gynnwys Maria, ffrind mam
Harri a Hanna – yn cytuno'n frwdfrydig. Diolch
byth!

Trawodd Elin Mai nodau cyntaf 'O! deuwch
ffyddloniaid' ar y piano, a chydag actorion
Blwyddyn 6 yn dal ar y llwyfan, dechreuodd
pawb forio canu.

3

Wedi i'r nodau ddistewi, dechreuodd y gynulleidfa lifo allan i'r iard. 'Arhoswch ble 'ych chi am foment,' meddai Mr Edwards wrth Flwyddyn 6. 'Ry'n ni am gael tynnu'n llun gyda Mrs Lester.'

Chwythodd chwa o bersawr blodeuog drwy'r awyr a goglais trwyn Hanna. Roedd Mrs Lester yn camu ar y llwyfan ac yn dod i sefyll rhyngddi hi a Harri.

Dim rhyfedd bod Hanna'n teimlo'n swil. Roedd Mrs Lester mor dal a gosgeiddig, ei gwallt gwyn fel helmed ddisglair am ei phen, a'i siwt drowsus lliw lafant yn un ddrud a ffasiynol. Ffrog 'ledi' wedi'i gwneud o bâr o hen lenni oedd gan Hanna. Ond dim ots. Roedd Mrs Lester yn gwenu'n ddigon serchog arni hi a Harri. 'Efeilliaid y'ch chi, dw i'n deall,' meddai.

'Ie,' atebodd Hanna.

'Fuoch chi'n helpu'ch gilydd i ymarfer?'

'Do, a buodd Dad yn ein helpu ni hefyd,' meddai Harri. Roedd Dad wedi bod allan o waith ers saith mis ac yn falch o gael rhywbeth i'w wneud. Ddywedodd Harri mo hynny wrth Mrs Lester, ond nodiodd gwraig y plas yn ddeallus.

'Da iawn, chi. Da iawn, bawb,' meddai, a throi i wenu ar Miss Ellis oedd yn barod i dynnu llun â chamera'r ysgol.

Ar ôl i'r llun gael ei dynnu, ac ar ôl i Mr Edwards hebrwng Mrs Lester at y drws, neidiodd Blwyddyn 6 i lawr o'r llwyfan.

'Hawyr bach!' galwodd Leri Blake o'r cefn. 'Beth 'ych chi'n ei wneud nawr? Actio "Drama'r Eliffantod"? Eliffantod yng Nghymru! Fydd plant Colombia'n methu deall y peth!'

Chwarddodd pawb. Roedd Leri wedi bod yn brysur yn recordio rhai caneuon o'r cyngerdd Nadolig, a chyn bo hir byddai DVD ar ei ffordd i ysgol yn un o ardaloedd tlotaf a mwyaf terfysglyd Colombia yn Ne America.

Tybed a fyddai plant Colombia'n mwynhau'r caneuon, meddyliodd Hanna wrth frysio i nôl ei chôt, ac ymuno â chriw Blwyddyn 6 oedd yn llifo ar draws yr iard yn eu dillad drama. Edrychai'r cyfan fel golygfa allan o *Dr Who* – milwyr a boneddigion o'r hen amser yn gymysg â cheir yn hwtian, a hofrennydd yn wincian ac yn grwnan yn yr awyr uwchben. Canodd corn car Mercedes du Mrs Lester, a neidiodd pawb ar y borfa gan godi llaw arni wrth iddi fynd heibio.

Wrth y gât yn disgwyl am Harri a Hanna roedd Mam, Dad a Lili, eu chwaer bum mlwydd oed. Roedd Mam a Dad yn gwenu'n llydan, a Lili'n hopian yn llawn cyffro o'u cwmpas yn ei gwisg angel.

'Gwych, gwych, gwych,' meddai Dad, wrth i'r ddau ddod yn nes. 'Mega-gwych.'

'Mega-mega-gwych,' meddai Harri a neidio ar ei war.

Braf oedd gweld Dad yn gwenu go iawn unwaith eto. Ers i'r ffatri gaws, lle roedd e'n arfer gweithio, gau ym mis Mai, roedd e wedi cael amser diflas a siomedig iawn yn chwilio am swydd arall.

'Helô, Tad Harri. Helô, Ledi Hanna,' meddai Lili, gan ddal i hopian.

'Dere di 'ma, Ledi Lili,' meddai Dad a'i chodi ar ei ysgwyddau. Gwichiodd Lili'n hapus, a chododd ei hanadl fel pluen fach ddisglair yn yr awyr oer.

O'u cwmpas roedd ceir yn refio a mwg yn codi. Hwtiodd corn car Bronallt wrth sgubo heibio, a gwelodd Hanna gip o Mam-gu'n codi'i llaw yn y sedd gefn.

'Ble mae Wncwl Hef?' gofynnodd.

Brawd Mam oedd Wncwl Hef. Roedd e a Mam-gu yn byw ar fferm Tanchwarel ar gyrion y pentref. Bob blwyddyn byddai Mam-gu'n llusgo Wncwl Hef i gyngerdd yr ysgol, a bob blwyddyn byddai Wncwl Hef yn esgus achwyn, er ei fod e bob amser yn chwerthin a churo dwylo'n uwch na neb arall.

'Cafodd e alwad ffôn, pan oedd e a Mam-gu ar eu ffordd i'r car,' meddai Mam, a gwneud ceg gam.

'O, dim eto!' ochneidiodd Hanna. Roedd Wncwl Hef yn un o'r gwirfoddolwyr oedd yn cynnal gwasanaeth Gwylwyr y Glannau yn yr ardal. Er mai ffermwr oedd e wrth ei waith bob dydd, roedd e'n cario ffôn arbennig yn ei boced. Os oedd rhywun mewn trafferth ar yr arfordir, byddai'r ffôn yn canu ac Wncwl Hef yn gorfod mynd ar unwaith i helpu. Roedd hynny wedi digwydd yn aml iawn yn ddiweddar.

'Pedair gwaith o leia,' meddai llais yn ei hymyl.

Edrychodd Hanna dros ei hysgwydd a gweld tadau Ieuan a Hayley'n sibrwd wrth ei gilydd. Plismyn oedd y ddau, ac roedd un yn syllu ar

oleuadau'r hofrennydd a'r llall ar gar Mrs Lester.
Roedden nhw'n siarad am Mrs Lester hefyd.
Y tu ôl iddyn nhw, yn ddistaw fel llygoden
fach, a'i hwyneb yn wyn dan olau'r lamp, safai
Maria.

'Mam!' sibrydodd Hanna, a rhoi plwc i lawes
ei mam. 'Maria!'

'O!' meddai Mam. Yng nghanol yr holl gyffro roedd hi wedi esgeuluso'i ffrind. Brysiodd ati'n llawn cywilydd. 'Maria fach!' galwodd. 'Sori! Do'n i ddim wedi meddwl dy adael di ar dy ben dy hun.'

'Mae'n iawn.' Gwenodd Maria, ond roedd hi'n crynu drwyddi.

Lapiodd Hanna'i braich amdani. Dim ond ers pythefnos roedden nhw'n nabod Maria, ond roedd pawb yn y teulu wedi cymryd ati. Mam oedd wedi cwrdd â hi yn y lle cynta. Ers i Dad golli'i waith, roedd Mam yn gweithio yng Ngwesty'r Afallen bob penwythnos, yn ogystal â gwneud ei gwaith llawn amser yn Swyddfa'r Sir. Roedd Maria'n aros yn y gwesty dros y Nadolig, ac roedd Mam wedi'i gwahodd hi i'w cartref ddwywaith yn barod er mwyn iddi gael ymarfer ei Chymraeg.

'Dw i'n iawn, wir,' protestiodd Maria. 'Dim ond crynu wrth feddwl am y ddrama ydw i. Roedd hi mor gyffrous ac mor wych. Diolch yn fawr am fy ngwahodd i.'

'Wnest ti fwynhau?' gofynnodd Hanna.

'Mas draw!' meddai Maria. 'Waw! Roeddet ti a Harri'n union fel sêr Hollywood. A Lili,' ychwanegodd gan wenu ar Lili. 'Roedd Lili'n canu'n hyfryd.'

'Asyn bychan,' canodd Lili, a thapio'r rhythm ar ben Dad.

'We-hei!' meddai Dad. 'Nid asyn ydw i.'

'Ie.' Pwysodd Lili dros ei ben a syllu i'w wyneb.

Gafaelodd Mam ym mraich Maria a'i gwasgu'n dynn. 'Adre â ni i gael diod boeth,' meddai.

'I'r plas!' galwodd Dad. 'Dewch, foneddigion a boneddigesau!'

Cydiodd Hanna yng ngodre'i sgert, a chydiodd Harri yng ngodre'i wisg laes ddu. Gan chwerthin lond y lle, adref â theulu'r Jamesiaid, ond nid i Blas Hirfryn. Eu cartref nhw oedd Rhif 3, Stad Rhydwen, lle roedd yr arwydd 'Ar Werth' i'w weld yn glir dan olau lamp y stryd.

4

Ychydig ddyddiau ar ôl y Nadolig, safodd car Mercedes du o flaen yr arwydd 'Ar Werth'. Roedd Hanna yn y llofft yn peintio'i hewinedd. Cymerodd un sbec drwy'r ffenest, rhuthro ar ras i'r landin, a gweiddi, 'Rhywun yn dod!'

Daeth gwich a sŵn clecian o'r gegin. Dad oedd wrthi'n paratoi'r llysiau ar gyfer swper ac wedi gollwng sosbanaid o datws i'r sinc. Brysiodd at droed y grisiau, tywel yn ei law a'i siwmper yn llac amdano. Yn ystod y misoedd diwethaf roedd Dad wedi colli pwysau yn ogystal â cholli'i waith. 'Pwy?'

'Mrs . . .' Cyn i Hanna orffen dweud 'Mrs Lester', llithrodd cysgod dros wydr y drws ffrynt a chanodd y gloch.

'Taclusa gymaint gelli di,' sibrydodd Dad o gornel ei geg, cyn symud i agor y drws.

Plymiodd Hanna i mewn i stafell ei brawd. Roedd Harri'n eistedd ar ei wely yn tynnu'i drenyrs. Roedd ei wyneb yn goch a'r lle'n drewi

o chwys ac o fwd y cae pêl-droed. 'Cliria, wnei di!' gwichiodd Hanna, a chwifio'i llaw tuag y llanast o fatris, weiars, sgriwiau a dillad brwnt oedd yn gorwedd yn bentyrrau blêr ar lawr.

Erbyn i Harri neidio ar ei draed a dechrau gwthio'r cawdel dan y gwely, roedd Dad wedi agor y drws, a llais Mrs Lester i'w glywed drwy'r tŷ.

'Mrs Lester!' meddai Harri gan stopio tacluso ar unwaith. 'Mrs Lester sy 'na? Fyddai hi byth eisiau prynu'n tŷ ni!'

Yn y cyntedd islaw roedd Dad yn amlwg yn panicio wrth feddwl pa mor anniben oedd y tŷ. Roedd Mam wedi mynd draw i roi help llaw yng Ngwesty'r Afallen, a doedden nhw erioed wedi meddwl y byddai neb yn dod i weld y tŷ mor fuan ar ôl y Nadolig. Roedd y gwerthwr tai yn rhoi rhybudd iddyn nhw fel arfer, beth bynnag.

'Cer lan stâr, bach,' meddai Dad wrth Lili, oedd wedi rhedeg at y drws. 'Dewch i mewn, Mrs Lester.'

Hanner ffordd lan y stâr, sgrechiodd Lili wrth glywed ei theganau'n cael eu gwthio'n ddiseremoni i'r naill ochr yn y stafell fyw. 'Dad, paid!' llefodd.

Cyn pen chwinc, roedd Harri a Hanna wedi rhuthro ar draws y landin a gafael ynddi.

'Sh!' meddai Harri, gan roi ei fys ar ei geg.

'Cer i beintio d'ewinedd,' sibrydodd Hanna.

'Gyda dy farnis newydd di?' gofynnodd Lili a'i llygaid yn disgleirio.

'Ie, ond paid â gwastraffu dim.'

'Na.' Diflannodd Lili ar ras i'r stafell wely, rhag ofn i Hanna newid ei meddwl.

24

Swatiodd Harri a Hanna ar ben y grisiau a gwrando'n ofalus. Roedd Dad wedi troi'r teledu i ffwrdd, a chynnig paned i Mrs Lester, a hithau wedi gwrthod.

'Chi yw tad yr efeilliaid oedd yn actio yn y ddrama Nadolig, fel dw i'n deall, Mr James,' meddai.

O-o! Rholiodd Harri a Hanna'u llygaid ar ei gilydd.

'Ie, fi yw tad Harri a Hanna,' atebodd Dad yn falch.

'A dw i'n deall hefyd eich bod chi wedi colli'ch gwaith ers tro?' meddai Mrs Lester.

Mwmiodd Dad air neu ddau. Doedd e ddim yn swnio mor falch nawr.

'Falle'ch bod chi wedi clywed, Mr James,' meddai Mrs Lester, 'rydw i'n chwilio am arddwr ar hyn o bryd. Fe adawodd Terry Mack, fy ngarddwr diwetha i, ddechrau Hydref.'

'Na, wyddwn i ddim,' atebodd Dad.

'Gwynt teg ar ei ôl e, os ca i ddweud,' meddai Mrs Lester. 'Dyn ifanc esgeulus a di-glem iawn oedd e, yn meddwl am ddim ond mwynhau'i hun a chymryd gwyliau byth a beunydd. Dim ond ychydig fisoedd fuodd e gyda fi, ac fe gerddodd allan a 'ngadael i heb ddweud gair. Beth bynnag, dw i'n chwilio am rywun i gymryd ei le, a dw i'n gwybod eich bod chi'n arddwr, achos dw i wedi cael y pleser o gyflwyno sawl cwpan i chi yn Sioe Llanaron.'

'Ydych, ond . . .' Roedd Dad yn panicio o ddifri erbyn hyn. 'Ond dw i ddim yn arddwr go iawn!'

'Wyt, Dad!' sibrydodd Harri dan ei wynt. Gwasgodd e a Hanna'u dyrnau'n dynn. Roedd Dad wedi colli'i hyder ar ôl cynnig am gymaint o swyddi heb lwc. Sawl gwaith oedd Mam wedi gorfod dweud wrtho, 'Rwyt ti'n edrych fel iâr ar y glaw, Als! Siapia hi, wir. Os wyt ti am gael gwaith, rhaid i ti fod fel y bobl 'na ar *The Apprentice*. Rhaid i ti gael ffydd ynot ti dy hun.'

'Dw i erioed wedi dilyn cwrs mewn garddio,' meddai Dad.

'O,' snwffiodd Mrs Lester. 'Peidiwch â phoeni am hynny. Roedd Mack wedi dilyn cwrs mewn garddio, medde fe, ond roedd e'n gwbl anobeithiol. Ar y llaw arall, dw i'n gwybod eich bod chi'n tyfu llysiau ardderchog, a beth yw hynny ond garddio?'

'Wel . . .' meddai Dad yn ansicr.

'Cadw'r lle'n dwt, dyna fydda i am i chi wneud yn bennaf. Does dim rhaid i chi fod yn gyfrifol am gynllunio'r ardd na dim byd felly. Mae gen i bobl eraill sy'n gwneud hynny. A falle bydd eisiau gwneud mân bethau yn y tŷ – rhoi ffiws newydd mewn plwg, neu wasier mewn tap, falle.'

'O, fe alla i wneud hynna,' meddai Dad. 'Ces i 'magu ar fferm, chi'n gweld, a dw i'n gyfarwydd â thrin y tir, trwsio offer a gwneud tipyn o bopeth.'

Winciodd Harri ar Hanna, a chroesodd y ddau eu bysedd yn obeithiol.

'Fyddech chi'n fodlon dod i weithio ata i, felly?'

Byddi, byddi, Dad. Gwasgodd Hanna'i thrwyn ar y carped, a thrio hypnoteiddio Dad drwy'r llawr. Dim ond tair milltir y tu allan i Lanaron oedd Plas Hirfryn. Os byddai Dad yn derbyn y swydd, fyddai dim rhaid iddyn nhw symud wedi'r cyfan. Doedd hi a Harri ddim eisiau symud. Roedden nhw eisiau aros yn Rhif 3.

'Wel, bydd yn rhaid i fi siarad â Caren, fy ngwraig, yn gynta,' meddai Dad.

'Wrth gwrs,' atebodd Mrs Lester. 'Meddyliwch chi a Mrs James am y peth. Ac os oes gyda chi ddiddordeb, beth am ddod draw i 'ngweld i fory, tua hanner awr wedi deg?'

'Diolch yn fawr,' meddai Dad, a oedd yn dechrau dod ato'i hun. 'Diolch yn fawr iawn am y cynnig, Mrs Lester. Byddwn i wrth fy modd yn gweithio ym Mhlas Hirfryn, a dweud y gwir. A dw i'n siŵr y bydd Caren yn berffaith hapus.'

Hapus? Byddai Mam yn dawnsio!

Ar eu pen-gliniau ar y landin, dawnsiodd Harri a Hanna hefyd. A hwythau'n ysgwyd yn ôl ac ymlaen â'u dyrnau yn yr awyr, clywson nhw lais yn dweud, 'Dyma Harri a Hanna'. Stopiodd y dawnsio ar unwaith. Roedd Dad yn sefyll ar waelod y stâr gyda Mrs Lester wrth ei ochr.

'Bore da, Mrs Lester,' llafarganodd y ddau.

Wps! Deg o'r gloch y bore oedd hi pan aeth Blwyddyn 6 i Blas Hirfryn ym mis Medi, ond pedwar o'r gloch y prynhawn oedd hi nawr.

'Bore da, Mrs Lester.' Rhedodd Lili o'i stafell wely. Yn ogystal â pheintio'i hewinedd, roedd hi wedi gwisgo ffrog Ledi Hanna, a honno'n llusgo'r llawr.

Chwarddodd Mrs Lester wrth weld y ffrog a'r deg ewin amryliw anniben. 'Wela i chi fory 'te, Mr James,' meddai wrth Dad cyn gadael y tŷ.

Wedi i Mrs Lester fynd, brysiodd tri phâr o draed i lawr y stâr a chydiodd tri phâr o ddwylo yn Dad. Gwenodd Dad o glust i glust a chanu, 'Ribi-di-res, ribi-di-res, i mewn i'r plas â fi.'

'Ribi-di-res, ribi-di-res, i mewn i'r plas â ni.'

Cydiodd y pedwar yn ei gilydd fel un neidr fawr a dawnsio o gwmpas y tŷ.

5

Fore trannoeth aeth Lili i chwarae gyda ffrind, ond mynnodd Harri a Hanna aros gartre. Safodd y ddau wrth y gât a gwylio Mam a Dad yn gyrru i ffwrdd i Blas Hirfryn yn eu car glas. Cyn gynted ag i'r car fynd o'r golwg, anelodd Harri gic at bostyn yr arwydd 'Ar Werth'.

'Tŷ ni, Rhif 3. Tŷ ni, Rhif 3,' canodd, gan anelu cic arall.

'Paid!' chwarddodd Hanna. 'Paid â chicio'r postyn i lawr nes i Mam a Dad ddod 'nôl. Rhag ofn.'

Awr yn ddiweddarach, pan stopiodd y car glas o flaen y gât, roedd Harri a Hanna'n eistedd ar y soffa yn gwylio'r teledu. Codon nhw'u pennau fel dau *meerkat*, a gwylio Mam a Dad yn camu allan.

'Maen nhw'n gwenu!' meddai Harri.

Safodd Dad i siarad â Jim drws nesa, ond daeth Mam yn ei blaen i'r tŷ. Ar unwaith neidiodd yr efeilliaid oddi ar y soffa a rhedeg allan i'r cyntedd.

'Bois bach!' gwichiodd Mam wrth iddyn nhw lanio un bob ochr iddi.

'Ydy Dad wedi derbyn y swydd?' sibrydodd Harri yn ei chlust.

Cododd Mam ei bawd a gwenu. 'Bydd e'n dechrau ym mis Chwefror,' meddai.

'Waw-i!' meddai Hanna, gan roi'i breichiau am Mam. Bu'r ddwy'n sboncio rownd y gegin ac i mewn i'r stafell fyw. Dawnsiodd Harri y tu ôl iddyn nhw, yn chwarae gitâr awyr.

Tynnodd Mam ei hun yn rhydd o'r diwedd. 'O!' pwffiodd, a disgyn yn ei hyd ar y soffa. 'Mae 'mhen i'n troi. A dw i ddim wedi dweud hanner y stori wrthoch chi eto.'

'Be?' Craffodd Hanna'n ofalus ar Mam. Dim hanner y stori? Beth arall allai fod wedi digwydd ym Mhlas Hirfryn? 'Wyt ti'n mynd i weithio i Mrs Lester hefyd, Mam?' gofynnodd.

Gwenodd Mam. 'Na, dw i ddim.'

'Beth 'te?' gofynnodd Harri.

Cododd Mam ar ei heistedd. 'Chi'n cofio'r ddrama Nadolig?'

'Ydyn,' meddai Hanna'n wyliadwrus.

'Ti Hanna oedd ledi Plas Hirfryn, ontefe?'

'Ie.'

'Wel . . .' Disgleiriodd llygaid Mam. 'Dyfala be! Rwyt ti, Ledi Hanna, yn mynd i fyw ym Mhlas Hirfryn go iawn!'

'Fi?' crawciodd Hanna mewn braw.

'Ti a phawb arall,' meddai Mam gan chwerthin. 'Mae Mrs Lester wedi cynnig rhentu fflat newydd sbon i ni yn y plas. Roedd y garddwr sy newydd adael yn byw yn Nhŷ'n yr Ardd ar y stad, ond mae Mrs Lester yn bwriadu werthu hwnnw ac ry'n ni'n mynd i symud i mewn i Blas Hirfryn mewn rhyw ddeufis, unwaith y bydd y fflat yn barod. 'Na chi gyffrous, ontefe?'

Ddywedodd Harri a Hanna 'run gair.

'Wel?' meddai Mam, a'i llygaid yn pefrio.

Edrychodd Harri a Hanna ar ei gilydd. Er eu bod yn efeilliaid, doedden nhw ddim yn debyg iawn, iawn. Roedd Harri'n dalach na'i chwaer, ei gorff yn fwy main a'i wallt brown yn fwy cyrliog. Ond roedd wynebau'r ddau yr un ffunud â'i gilydd y foment honno. A doedden nhw ddim yn hapus nac yn gyffrous.

'Ond pam mae'n rhaid i ni symud?' protestiodd

Hanna o'r diwedd. Er ei bod hi wedi canu 'I mewn i'r plas â ni' gyda Dad, doedd hi erioed wedi breuddwydio y bydden nhw'n symud i'r plas go iawn.

'Ie,' meddai Harri. 'Gallwn ni aros fan hyn. Dyw e ddim yn bell. Gall Dad fynd i'w waith ar y beic, neu fe alli di roi lifft iddo fe.'

Ysgydwodd Mam ei phen. 'Mae'n rhaid i ni werthu'r tŷ achos mae gyda ni gymaint o filiau i'w talu,' meddai. 'Ta beth, bydd hi'n grêt, yn bydd? Meddyliwch am fyw mewn plas!'

'Iych!' llefodd Hanna. 'Sbwci!'

'Sbwci, wir!' meddai Mam. 'Dyw Plas Hirfryn ddim yn sbwci o gwbl. Tŷ mawr crand yw e. Mae e'n lân ac yn hyfryd y tu mewn, ac wedi'i beintio mewn lliwiau pert.'

'Sbwci!' snwffiodd Hanna.

'Na, Hanna. Dyw e *ddim* yn sbwci,' mynnodd Mam. 'Meddwl am y ddrama Nadolig wyt ti. Mae Plas Hirfryn yn hyfryd, ac mae digon o le y tu allan i ti, Harri, gael chwarae pêl-droed.'

'Chwarae pêl-droed gyda phwy?' gofynnodd Harri'n surbwch. Dim ond Mrs Lester oedd yn byw yn Hirfryn; roedd ei gŵr wedi marw a'i mab wedi gadael cartref. A doedd neb arall yn byw'n agos iawn.

'Mae'n well 'da ni aros fan hyn,' plediodd Hanna. 'A bydd Dad yn ennill arian nawr. Fe allwch chi dalu'r biliau wedyn, yn gallwch chi?'

'O, bois bach!' Gwylltiodd Mam yn sydyn a neidio ar ei thraed. ''Sda chi ddim syniad! Dw i wedi cael digon ar yr holl ofidio am arian, a'r crafu byw 'ma. Dw i wedi blino gorfod gwneud dwy swydd i gadw'r lle 'ma i fynd. A pheidiwch chi â meiddio diflasu Dad nawr. Ry'n ni'n symud, a dyna'i diwedd hi.' Pwyntiodd Mam ei bys a hoelio'i llygaid ar y ddau efaill.

Ar y llwybr o flaen y tŷ roedd Dad yn dal i siarad â Jim. Roedd e'n swnio'n sionc a hyderus, ac yn gweiddi 'Blwyddyn Newydd Dda' ar bawb oedd yn mynd heibio. Roedd Dad wedi cael blwyddyn anodd. Allai e ddim aros tan i'r flwyddyn newydd ddechrau drannoeth. Edrychodd Hanna ar ei brawd, a gwenodd y ddau. Roedd Mam yn iawn. Allen nhw ddim diflasu Dad.

Felly pan drodd Dad at y tŷ, rhedodd Harri i agor y drws iddo a phlygu nes bod ei drwyn bron â chyffwrdd y llawr. 'Henffych, Syr Alwyn, Plas Hirfryn,' meddai.

'A henffych i chithau, deulu annwyl,' atebodd
Dad yn llon.

6

Y noson honno aeth Mam a Dad i Abergorlan i ddathlu. Roedd Harri wedi mynd i aros y nos gyda Liam a Dion, oedd yn byw yn y tŷ gyferbyn. Roedd Mam-gu a Lili'n gwneud jig-so yn y stafell fyw, a Hanna'n gorwedd ar ei gwely. Doedd arni hi ddim awydd dathlu.

'Plas Hirfryn! Plas Hirfryn!' ysgyrnygodd o dan ei gwynt.

Roedd hi wedi cael llond bol o'r lle'n barod. Drwy'r dydd roedd pobl wedi bod yn llongyfarch Dad, ac yn cael hwyl am eu pennau. Sawl gwaith oedd hi wedi clywed y geiriau 'Waw! 'Na posh fyddwch chi nawr. Jamesiaid Plas Hirfryn. Fyddwch chi ddim eisiau siarad â ni!'

Ha ha. Doedd Hanna ddim yn chwerthin. Doedd hi ddim yn Ledi go iawn a doedd hi ddim eisiau byw mewn plas, yn enwedig plas oedd yn swatio ar ei ben ei hun mewn cwm bach. Er gwaetha'i enw, doedd Plas Hirfryn ddim yn sefyll ar fryn mawr uchel, ond yn hytrach yn clwydo ar lwmpyn o fryn di-nod yng ngwaelod y cwm.

Doedd dim posib gweld y plas o'r hewl fawr, a'r tro cynta i Hanna gael sbec go iawn arno oedd adeg ymweliad Blwyddyn 6 ym mis Medi. Roedd Mr Edwards wedi sôn am hanes yr hen le cyn iddyn nhw fynd yno. Pan brynodd Mr a Mrs Lester Blas Hirfryn dros ugain mlynedd yn ôl, roedd e mewn cyflwr gwael. Wrth fynd ati i'w adnewyddu, fe ddarganfuon nhw fod ganddyn nhw ddau blas yn lle un. Y tu ôl i'r plas lle roedden nhw'n byw, roedd 'na hen adeilad oedd yn cael ei ddefnyddio fel sgubor. Pan aeth arbenigwyr i'w archwilio, fe sylweddolon nhw mai hon oedd neuadd y Plas Hirfryn gwreiddiol, a godwyd bron i chwe chan mlynedd yn ôl. Wrth adnewyddu'r neuadd, daeth adeiladwyr o hyd i dwll yn y wal, lle roedd offeiriaid Catholig yn arfer cuddio rhag milwyr Elizabeth I.

Blwyddyn 6 oedd y dosbarth cyntaf o Ysgol Llanaron i gael gweld y twll offeiriad, felly roedd pawb â'u trwynau ar y ffenest y diwrnod hwnnw wrth i'r bws yrru heibio'r gatiau haearn crand. Roedd Hanna'i hun mor gyffrous â neb.

'Ife hwnna yw'r hen blas neu'r plas newydd?'

gofynnodd i Mr Edwards, pan welodd hi'r adeilad ar y bryn.

'P'un wyt ti'n feddwl?' atebodd Mr Edwards.

Hanner-caeodd Hanna'i llygaid. Roedd yr adeilad o'u blaen yn dwt fel bocs, gyda cholofnau gwynion o boptu'r drws, chwe ffenest dal hirgul ar y llawr gwaelod, a saith ffenest dal hirgul ar y llawr cyntaf. 'Yr un newydd?' cynigiodd.

'Iawn.'

'Ble mae'r hen un?' gofynnodd ei ffrind, Courtney.

Hwnnw oedd pawb eisiau'i weld, ac wrth i'r dreif droi i'r dde a dechrau dringo'r bryn, fe welson nhw'r hen neuadd yn swatio y tu ôl i'r plas, gyda chyntedd gwydr yn cysylltu'r ddau.

Roedd Mrs Lester yn disgwyl amdanyn nhw. Arweiniodd hi Flwyddyn 6 drwy'r cyntedd ac i mewn i neuadd oedd yn arogli'n hyfryd o bolish. Disgleiriai'r haul drwy'r ffenestri gan wneud patrwm siâp diemwntau ar y llawr. Ar fwrdd mawr hir yng nghanol y neuadd roedd rhesi o fygiau lliw arian, yn llawn o ddiod oren i bawb, ac ar blatiau mawr yng nghanol y bwrdd roedd plateidiau o gacennau blasus yr olwg.

Ar ôl bwyta ac yfed a chael rhagor o hanes y lle gan Mrs Lester, fe gawson nhw'u herio i chwilio am y twll offeiriad. Rownd a rownd â nhw, yn gwthio'u bysedd i graciau ac yn curo ar bren y waliau, heb ddod o hyd i unrhyw beth. Yn y diwedd roedd Mrs Lester wedi dangos y guddfan yn y simne iddyn nhw. Roedd pawb wedi cael mynd i mewn iddi yn eu tro, a phawb wedi crynu go iawn wrth feddwl am orfod cuddio rhag milwyr y frenhines yn y fath le.

Waw! Fyddai Hanna byth yn anghofio'r ymweliad â Phlas Hirfryn, ond doedd hi ddim eisiau mynd i fyw yno 'chwaith. Na, doedd hi ddim! Roedd hi eisiau byw mewn tŷ cyffredin, heb gyfrinachau, fel Rhif 3, Stad Rhydwen.

Dyna fyddai hi wedi'i dweud wrth Maria, pan alwodd hi draw yn nes ymlaen, ond chafodd hi ddim cyfle.

Newydd gael swper oedd Hanna, Lili a Mam-gu, pan ganodd cloch y drws. Pwysodd Hanna'n ôl a gweld siâp gwraig ifanc drwy'r gwydr.

'Maria!' meddai'n falch.

'Maria!' gwaeddodd Lili, a rhedeg ar ei hunion i agor y drws.

'Wel, 'na syrpréis hyfryd,' meddai Mam-gu wrth i Lili lusgo Maria i'r gegin. 'Sut wyt ti, Maria fach?'

'Dw i'n iawn . . .'

'Pam mae allweddi gyda ti?' gofynnodd Lili. Roedd bwndel o allweddi'n hongian oddi ar fys Maria. 'Oes car gyda ti?'

'Oes . . .'

'Car i ti dy hun?'

Nodiodd Maria a wincio.

'O, dwyt ti ddim yn mynd adre i Sbaen yn barod, wyt ti?' llefodd Hanna.

'Na . . .'

'Bois bach! Gadewch i Maria gael ei gwynt ati. Eistedda i lawr, Maria fach. Hoffet ti gael paned?' gofynnodd Mam-gu.

'Diolch.' Eisteddodd Maria'n drwm ar y fainc yn y gegin. Roedd Mam-gu'n iawn. Roedd hi'n swnio'n fyr ei gwynt, er nad oedd hi wedi rhedeg o gwbl. 'Ydy Caren yma?' gofynnodd.

'Na. Mae hi ac Alwyn yn y dre'n dathlu,' meddai Mam-gu gyda winc.

'Dathlu Nos Galan?'

'Gwell na hynny,' meddai Mam-gu. 'Mae Alwyn wedi cael swydd.'

'O!' Goleuodd llygaid Maria, a lledodd gwên fawr, fawr dros ei hwyneb. 'O, dw i mor falch!' llefodd, a rhoi sws i Lili, oedd wedi dringo ar y fainc yn ei hymyl. 'Ble?'

'Ry'n ni'n mynd i fyw mewn plas,' meddai Lili.

'Be?'

'Mae'n wir.' Chwarddodd Mam-gu wrth weld yr olwg syn ar wyneb y Sbaenes. 'Maen nhw'n mynd i fyw mewn plas, cofia.'

'Nid Plas Hirfryn?' gofynnodd Maria, a'i gwên yn diflannu'n llwyr.

'Ie, 'na braf ontefe?' pwysleisiodd Mam-gu, rhag ofn i Hanna dynnu'n groes. 'Maen nhw'n lwcus dros ben. Mae Alwyn wedi cael swydd garddwr yn Hirfryn, ac maen nhw'n mynd i fyw mewn fflat yn y plas ei hun.'

'O.' Trodd Maria a syllu'n ddwys i fyw llygaid Hanna. Mae Maria'n deall, meddyliodd Hanna. Mae hi'n teimlo trueni drosta i. Mae hi'n gwbod mod i ddim eisiau byw yn y plas. Ond chafodd hi ddim cyfle i ddweud gair, achos roedd Lili wedi dringo ar ei glin, ac yn tynnu'r allweddi oddi ar ei bys.

'Maria?' gofynnodd Lili. 'Pam mae car gyda ti?'

'Wel . . .' Tynnodd Maria anadl hir. 'Mae gen innau newyddion hefyd,' meddai. 'Dyna pam ddes i 'ma. Dw i wedi penderfynu aros yng Nghymru am sbel a–'

'Hwrêêêê!' Sgrechiodd Lili'n hapus a thaflu'i breichiau am Maria. Hedfanodd yr allweddi

dros ei hysgwydd, sboncio ar y fainc a disgyn i'r llawr.

'Hawyr bach!' llefodd Mam-gu, a rhuthro i achub y cwpanaid o goffi roedd hi newydd ei roi ar y ford. 'Ble wyt ti'n mynd i aros, Maria?'

'Yng Ngwesty'r Afallen,' meddai Maria drwy lond ceg o wallt Lili. 'Dw i wedi cael cynnig gwaith fan 'na dros dro i dalu am fy lle.'

'Gelli di ddod i fyw gyda ni,' meddai Lili.

'Yn y plas,' chwarddodd Mam-gu.

'Falle, wir.' Plygodd Maria i godi'i hallweddi.

Cymerodd Lili nhw o'i llaw. 'Fe wna i 'u rhoi nhw i gadw i ti,' meddai, a chydio ym mag Maria.

Twriodd Lili yn y bag ac yna stwffio'r allweddi i sach fach frown. Yn sydyn, gwichiodd Maria, cipio'r sach o law Lili a'i stwffio i'w phoced yn llawn embaras.

Cymerodd Hanna fawr o sylw ohoni. Roedd hi eisoes wedi gafael yn y ffôn ac wrthi'n tecstio Mam i ddweud y newydd da wrthi.

7

Wnaeth Mam ddim ateb, wrth gwrs.

'Mae hi'n brysur yn dathlu, siŵr o fod. Dim ots. Fe wela i hi yn yr Afallen fory,' meddai Maria. Er mawr siom i bawb, fe fynnodd hi adael yn fuan ar ôl yfed ei choffi.

Aeth Mam-gu, Lili a Hanna allan gyda hi i weld y car newydd. Toyota bach gwyrdd oedd e, yn disgleirio'n rhewllyd o dan olau lamp y stryd. Helpon nhw Maria i rwbio'r haenen denau o rew oddi ar y ffenest flaen a'r ffenest gefn, a sefyll wrth y gât i'w gwylio'n gyrru i ffwrdd.

'Brr!' meddai Mam-gu, wedi i'r Toyota fynd o'r golwg, gan wthio'i dwylo oer o dan ei cheseiliau.

'Brr!' meddai Lili hefyd, a chwerthin. 'Brr! Brr! Brr!' meddai wedyn, a phwyntio i'r awyr. ''Co seren y Doethion, Mam-gu.'

'Seren y Doethion, wir!' snwffiodd Mam-gu a gwgu ar y golau bach coch oedd yn symud yn araf a swnllyd i gyfeiriad Abergorlan a'r môr.

'Blincin hofrennydd yw e! Does bosib fod Wncwl Hef wedi cael galwad gan Wylwyr y Glannau heno eto. Cer i ffonio i weld a yw e gartre, wnei di, Hanna fach?'

Brysiodd Hanna'n ôl i'r tŷ a ffonio Tanchwarel. 'Dim ateb,' galwodd, wedi i'r ffôn ganu a chanu.

'O'n i'n meddwl,' ochneidiodd Mam-gu. 'Mae Hef yn cael galwadau rhyfedd byth a hefyd y dyddie hyn. Does dim synnwyr yn y peth.'

Aeth Mam-gu â Lili i'r gwely. Am unwaith fe gwympodd Lili i gysgu'n weddol gyflym, ac wedi i Mam-gu ddod lawr stâr fe wnaeth Hanna fŵg o siocled poeth yr un iddyn nhw.

'Dw i'n mynd i wylio'r newyddion i weld a ddwedan nhw rywbeth am yr hofrennydd,' meddai Mam-gu, a disgyn i'r gadair o flaen y teledu. Estynnodd Hanna'r siocled poeth iddi, a satswma o'r bowlen ar y bwrdd, a disgyn i'r gadair gyferbyn. Doedd y newyddion ddim wedi dechrau eto, felly fe wasgodd Mam-gu'r botwm mud ar y rheolwr teledu.

'Mam-gu?' gofynnodd Hanna ymhen sbel, wedi i Mam-gu orffen bwyta'r satswma.

'Ie?'

''Ych chi'n nabod Mrs Lester?'

'Dw i ddim yn ei nabod hi go iawn,' atebodd

Mam-gu, gan estyn am facyn i sychu'i dwylo. 'Tan yn ddiweddar roedd hi'n byw hanner ei hamser yn Llundain, ti'n gweld. Gweithio mewn banc mawr yn y ddinas oedd Mr Lester ac roedd Steffan, y mab, mewn ysgol breifat. Ond dw i'n siŵr ei bod hi'n berson hyfryd iawn. Dwyt ti ddim yn poeni am fyw yn ei hymyl hi, wyt ti?'

Crychodd Hanna'i gwefus, ac fel arfer fe fyddai Mam-gu wedi trio'i chysuro, ond roedd bys Mam-gu wedi disgyn yn sydyn ar fotwm y rheolwr teledu. Ac am y tro fe anghofiodd Hanna bopeth am Blas Hirfryn, wrth weld llun o brom Abergorlan yn llenwi'r sgrin.

Yn pwyso ar relins y prom ac yn cydio'n dynn yn ei feicroffon, roedd y gohebydd lleol, Euros Gwyn. 'Heno, am y pumed tro mewn tair wythnos, mae sŵn hofrennydd i'w glywed dros Fae Ceredigion,' meddai, a'r gwynt yn chwythu'i wallt dros ei wyneb. 'Heno, am y pumed tro mewn tair wythnos, mae'r heddlu a Gwylwyr y Glannau wrthi'n archwilio'r arfordir. Pam? Beth yw achos yr holl helynt? Dyna mae'r bobl leol eisiau'i wybod.'

'Ie wir,' sibrydodd Mam-gu, a'i llygaid wedi'u hoelio ar y sgrin.

'A gyda fi fan hyn i ateb ein cwestiynau, mae

Emma MacInnes, llefarydd ar ran yr heddlu. Emma MacInnes?' Estynnodd Euros y meicroffon at wraig ifanc dwt a chefnsyth, ei gwallt melyn wedi'i glymu'n gynffon dynn ar ei phen. 'Pam mae'r heddlu a Gwylwyr y Glannau'n cribinio'r glannau eto heno?'

'Yn gynharach heddiw, ychydig cyn y machlud, rhybuddiwyd yr heddlu fod cwch yn llawn o bobl mewn trafferthion yn y bae, ac rydyn ni'n chwilio am y cwch hwnnw,' atebodd Emma MacInnes a'i hwyneb yn disgleirio yn yr awyr oer.

'Ydych chi wedi dod o hyd i'r cwch?'

'Dim eto.'

'Ydy hynny'n eich synnu chi?'

'Na. Mae'n tywyllu mor gynnar, ond rydyn ni'n gwneud ein gorau.'

'Yn Abertawe dri mis yn ôl cafodd dyn ei arestio ar gyhuddiad o smyglo pobl i mewn i'r wlad.'

'Smyglo!' ebychodd Mam-gu.

'Ydych chi'n meddwl bod 'na gysylltiad rhwng yr arestiad hwnnw a'r hyn sy'n digwydd heno?' gofynnodd y gohebydd.

'Wyddon ni ddim.'

'Ond dyma'r pumed tro o fewn mis i'r heddlu a Gwylwyr y Glannau fod allan ar y creigiau'n chwilio am bobl sy ar goll ar y môr. Ac yn ôl y sôn dydyn nhw ddim wedi llwyddo i ddod o hyd i neb. Pam hynny?'

'Fel dwedes i, rydyn ni'n gwneud ein gorau glas i ymateb i bob galwad,' atebodd Emma MacInnes heb gynhyrfu dim. 'Ac rydyn ni'n apelio ar y cyhoedd i'n helpu ni. Mae'r tymheredd yn debyg o ddisgyn ymhell o dan y rhewbwynt heno, felly, os oes 'na deithwyr ar y môr, mae'n holl bwysig ein bod yn dod o hyd iddyn nhw a'u helpu.'

'Os bydd rhywun yn gweld unrhyw beth amheus, beth ddylen nhw ei wneud?'

'Ffonio'r heddlu ar unwaith.'

Daeth rhif ffôn i fyny ar y sgrin.

'Ffonio'r heddlu,' ailadroddodd Euros Gwyn. 'Dyna, felly, yw'r neges o bromenâd Abergorlan ar noson ola'r flwyddyn. Unwaith eto mae'r hofrennydd yn hedfan. Unwaith eto mae'r gwasanaethau brys yn eu cotiau lliwgar yn cribo'r arfordir . . .'

'Edrych!' gwichiodd Mam-gu, wrth i'r camera sgubo ar draws y prom. Er gwaetha'r gwynt a'r oerfel, roedd y prom yn llawn o bobl yn syllu i gyfeiriad y môr. Ond pwyntio at fan Gwylwyr y Glannau y tu ôl iddyn nhw oedd Mam-gu. 'Ydy Hef 'na? Alli di'i weld e?'

'Ymmm . . . Na, ond . . . 'Co Maria!' gwaeddodd Hanna'n sydyn.

'Ble?'

Pwyntiodd Hanna i ganol y dorf ar ochr dde'r sgrin. Ond cyn i Mam-gu gael cyfle i edrych, roedd Abergorlan wedi diflannu, a'r darllenwr newyddion yn eistedd yn dwt yn ei stiwdio ac yn sôn am gyflwr y ffyrdd.

'Wel!' Pwysodd Mam-gu'n ôl yn ei chadair. Am eiliadau hir ddywedodd hi 'run gair. 'Smyglwyr!' meddai'n sydyn. 'Maen nhw'n meddwl mai smyglwyr sy wrthi. Ych a fi!' Crynodd drwyddi. 'Gobeithio na fydd Hef yn dod ar eu traws nhw.'

'O'n i'n meddwl mai yn yr hen amser oedd smyglwyr yn byw,' meddai Hanna.

'Na.' Ochneidiodd Mam-gu. 'Na, dyw smyglwyr byth yn mynd allan o ffasiwn. Er, cofia di, dyw Hef erioed wedi sôn wrtha i am smyglwyr. Mae e'n meddwl mai rhyw gnafon sy wrthi'n gwneud galwadau ffug er mwyn trio gwneud ffyliaid o'r heddlu a Gwylwyr y Glannau. Gobeithio y cân nhw'u dal. Gorau po gynted.'

Snwffiodd Mam-gu, codi a mynd at y ffenest. Dilynodd Hanna hi. Sleifiodd y ddwy y tu ôl i'r llenni, pwyso'u trwynau ar y gwydr oer ac

edrych i gyfeiriad y dre. Oedd 'na olau bach coch yn wincian uwchben yr arfordir? Roedd 'na gymaint o oleuadau Nadolig yn fflachio ar hyd Stad Rhydwen, roedd hi'n anodd bod yn sicr.

Meddyliodd Hanna am Wncwl Hef yn cripian drwy'r tywyllwch y tu hwnt i'r golau, ac yn chwilio am gysgodion.

8

Fore trannoeth, yn fuan ar ôl brecwast, clywyd sŵn curo uchel ar ddrws ffrynt Rhif 3. Agorwyd y drws a bloeddiodd llais mawr, 'Calennig! Calennig! Dw i eisiau calennig. Calennig yn gyfan, mae heddiw'n Ddydd Calan. Unwaith, dwywaith . . .'

'Wncwl Hef!' Gwibiodd Lili allan o'r gegin fel trên sgrech a thaflu'i hun am ei goesau. 'Ti ddylai roi calennig i ni.'

'Fi ddylai roi calennig i chi?' rhuodd Wncwl Hef. 'Dw i'n dlawd, 'chan!'

'Nagwyt ddim!'

Dawnsiodd Wncwl Hef i mewn i'r gegin gyda Lili'n sownd wrth ei goesau. Roedd Wncwl Hef ddwywaith maint pawb arall yn y teulu. Roedd e'n dal ac yn llydan, gydag wyneb crwn fel lleuad lawn.

Craffodd Mam-gu arno. 'Wyt ti wedi bod ar dy draed drwy'r nos?' gofynnodd.

'Dim cweit,' meddai Wncwl Hef.

'Ddaliest ti smyglwyr?' gofynnodd Hanna.

'Dal smyglwyr?' rhuodd Wncwl Hef. 'Ddalies i ddim byd ond annwyd. Aaaaaa-tishw!' Tynnodd facyn mawr o'i boced. O'r macyn hedfanodd chwe darn punt gloyw. 'Iesgyrn! Dw i wedi colli 'nghalennig!'

Winciodd Mam-gu ar Lili a rhedodd Lili i'w casglu. Rhoddodd hi nhw ar y ford o flaen Wncwl Hef.

'O, wel,' meddai Wncwl Hef. 'Fe gewch chi 'u cadw nhw. Ti a dy frawd a dy chwaer. Er mor dlawd ydw i, dw i'n fodlon eu rhannu nhw â chi.'

Chwarddodd Lili a chipio dau ddarn punt.

'Diolch, Wncwl Hef,' meddai Hanna, a rhoi cusan ar ei foch.

Ar unwaith, gallai flasu'r halen ar ei groen. Roedd Wncwl Hef yn arogli o'r nos a'r oerni a'r môr.

Arogli o fwyd oedd Mam, pan gyrhaeddodd hi adre chwe awr yn ddiweddarach. Roedd Mam wedi mynd draw i Westy'r Afallen yn gynnar yn y bore. Fe ddaeth hi adre am dri o'r gloch a Maria gyda hi. Straffagliodd y ddwy drwy'r drws gyda bocsys cardfwrdd yn eu breichiau.

'Olé!' galwodd Mam, gan ollwng un bocs ar fwrdd y gegin, a chodi'r clawr. Yn y bocs roedd llwyth o sbarion bwffe Nos Galan yr Afallen – sosejys, darnau o *quiche*, ciwbiau o gaws, a brechdanau braidd yn grimp.

'*Olé!*' galwodd Maria, a gollwng bocs arall ar y ford. Roedd hwnnw'n llawn o gacennau o bob math.

'Iymi!' Rhuthrodd Dad, Harri, Hanna a Lili at y bwrdd a'u breichiau'n chwifio fel tentaclau octopws.

'Gan bwyll!' gwaeddodd Mam, a chau'r ddau focs.

'Ie, gan bwyll!' chwarddodd Maria, a chwifio bag plastig oedd yn hongian ar ei braich.

'Be sy yn hwnna?' gofynnodd Lili.

'Aha!' Plymiodd Maria'i llaw i'r bag a thynnu pâr o drôns coch allan. Taflodd y trôns at Harri. Plymiodd ei llaw i'r bag eto. Tynnodd allan bâr o drôns i Dad, fest goch yr un i Mam a'r merched, a DVD o ganeuon Sbaeneg.

'Blwyddyn Newydd Dda!' canodd. 'Yn Sbaen mae anrheg o ddillad isa coch ar Ddydd Calan yn dod â lwc i chi drwy'r flwyddyn. Nawr gwisgwch nhw dros eich dillad a dewch i ddawnsio.'

Cyn pen dim roedd Rhif 3, Stad Rhydwen, yn atsain i sŵn gitâr, a chwerthin, a thraed eliffantaidd yn curo'r llawr. Wrth i Dad chwyrlïo

Lili drwy'r awyr, neidiodd y goeden Nadolig o ben y bwrdd bach a dechrau disgyn ar ei ben.

'Help!' gwaeddodd Dad, gan ymladd â'r goeden. 'Help!'

Wedi achub Dad, rhedodd Lili i'r llofft a suddodd pawb arall yn chwyslyd ar y meinciau wrth fwrdd y gegin. Agorodd Mam y bocsys unwaith eto, ac anadlu'r arogl bwyd.

'Gwnewch yn fawr o hyn, bawb!' cyhoeddodd. 'Dw i wedi dweud wrth Nerys yr Afallen na fydda i'n gweithio yno ar ôl diwedd y mis.'

'Oooo!' meddai Maria gan wneud wyneb trist.

'Maria!' Daeth Lili i lawr y stâr ar ras. Llithrodd ei thraed oddi tani a bwmpiodd i lawr y tri gris ola ar ei phen-ôl. 'Maria!' gwaeddodd gan redeg i mewn i'r gegin a rhywbeth coch yn chwifio ar flaen ei bys. Daliodd hi'r peth coch o dan drwyn Maria.

Pwysodd Maria tuag yn ôl. 'Beth yw hwnna?'

'Trôns,' meddai Lili.

'Trôns?' gwichiodd Maria.

'Trôns Tedi Bach,' meddai Lili. 'Trôns coch. Gelli di'u gwisgo nhw, achos does gyda ti ddim dillad lwcus.'

'O! Diolch, Lili.' Rhoddodd Maria gusan i Lili, hongian y trôns dros ei chlust ac esgus dawnsio ar ei heistedd. 'Rwyt ti'n annwyl.'

Eisteddodd Lili rhwng Hanna a Maria, plannu un penelin ar y bwrdd a syllu i wyneb ei ffrind.

'Maria,' meddai. 'Oes gen ti rywun arall sy'n annwyl?'

'Oes,' meddai Maria. 'Harri, Hanna, Mam a Dad. Rydych chi i gyd wedi bod yn garedig, garedig, garedig wrtha i. Dim ond am dair wythnos dw i wedi bod yma, a dw i'n teimlo fel un o'r teulu'n barod.'

'Rwyt ti *yn* un o'r teulu,' meddai Mam.

'Ie, ond oes gen ti rywun arall sy'n annwyl i ti?' gofynnodd Lili.

'Fy mam a 'nhad sy'n byw yn Sbaen, fy chwiorydd . . .'

'Maria,' meddai Lili'n ddiamynedd. 'Wyt ti'n hoffi Wncwl Hef?'

'Wncwl Hef?' meddai Maria, a thaflu edrychiad direidus i gyfeiriad Mam. 'Dim ond unwaith dw i wedi cwrdd ag Wncwl Hef, ond mae e'n hwyl, yn dyw e?

'Wyt ti eisiau'i briodi e?' gofynnodd Lili.

Tagodd Mam ar ddarn o sosej. Rhuthrodd at y sinc i nôl diod o ddŵr gan besychu dros y lle, a'r dagrau'n rhedeg i lawr ei hwyneb.

'Ei briodi e?' meddai Maria, gan drio peidio â chwerthin.

Roedd pawb ond Lili'n wên o glust i glust, wrth feddwl am rywun mawr, anniben a swnllyd fel Wncwl Hef yn priodi rhywun mor dwt â Maria. Er ei bod hi'n ddau ddeg wyth oed, doedd Maria fawr talach na Hanna ei hun. Roedd ganddi wallt du oedd yn byrlymu dros ei hysgwyddau, croen brown fel cneuen, a llygaid brown bywiog.

'Taset ti'n priodi Wncwl Hef,' meddai Lili, 'byddet ti wedyn yn fodryb i ni.'

'Ooooo!' Rhoddodd Maria sws fawr i Lili. 'Byddai hynny'n hyfryd.'

'Ti'n mynd i'w briodi e?' gofynnodd Lili'n obeithiol.

'Nac ydw,' ochneidiodd Maria.

'Pam?'

'Wel . . .'

'Oes gen ti gariad arall?'

'Falle,' meddai Maria'n ofalus.

Trodd pawb i edrych arni.

'Pwy?' gofynnodd Lili.

'Lili!' dwrdiodd Mam wrth weld Maria'n cochi.

'Este,' meddai Maria'n dawel.

'Este!' Crychodd Lili'i thrwyn. 'Beth yw Este?'

'Enw. Enw fy nghariad i.'

'Ble mae e?' gofynnodd Lili.

'Dros y môr.'

'Wyt ti'n dweud y gwir?' meddai Lili. 'Oes gen ti gariad, wir?'

'Lili!' ochneidiodd Mam. 'Be sy'n bod arnat ti? Gad lonydd i Maria. Gad iddi fwyta'i bwyd.' Gwthiodd Mam y bocs brechdanau i gyfeiriad ei ffrind. 'Cymer rywbeth, glou, neu fe fydd y pethe gorau wedi mynd.'

Wrth i Maria estyn am ddarn o *quiche*, sibrydodd Lili yn ei chlust, 'Wir?'

Nodiodd Maria.

'Ydy e'n mynd i ddod i Lanaron?'

'Gobeithio,' meddai Maria, a golwg fach swil yn ei llygaid.

'Ydw i'n cael ei weld e?'

'Os bydd e'n dod, bydda i'n gwneud yn siŵr dy fod ti'n ei weld e,' meddai Maria.

'Hwrêêê!' meddai Lili, a sboncio ar ei phengliniau.

Wrth sboncio fe drawodd hi yn erbyn Maria. Hedfanodd y trôns bach coch drwy'r awyr a disgyn i ganol y bocs bwyd. Taflodd Lili'i hun dros y bwrdd a bu bron iddi lanio yn y bocs wrth drio'u cipio'n ôl.

Yng nghanol yr holl weiddi a chwerthin, sylwodd Hanna fod Mam yn llygadu Maria â golwg ddryslyd iawn ar ei hwyneb. Roedd hi'n methu deall pam doedd Maria ddim wedi sôn gair wrthi am Este. Ond allech chi ddim disgwyl i rywun ddweud popeth wrthoch chi mewn tair wythnos, allech chi, meddyliodd Hanna. A ta beth, doedd Mam ddim bob amser yn fodlon gwrando. Doedd hi ddim yn fodlon gwrando ar Hanna a Harri'n cwyno am symud i Blas Hirfryn, oedd hi?

9

Ar fore Sadwrn ola gwyliau'r Nadolig, cafodd yr efeilliaid gyfle i weld Plas Hirfryn drostyn nhw'u hunain. Pan oedd pawb ar ganol brecwast, daeth galwad ffôn oddi wrth Mrs Lester, yn gwahodd y teulu cyfan draw am goffi.

Roedd annwyd trwm ar Lili, ac roedd hi'n eistedd ar y soffa yn ei phyjamas, gyda golwg ddiflas ar ei hwyneb a blanced wedi'i lapio amdani.

'Os ffonia i Mam-gu, fyddet ti'n fodlon aros gartre gyda hi?' gofynnodd Mam.

Nodiodd Lili, heb symud ei llygaid pŵl oddi ar sgrin y teledu. Aeth pawb arall ati i chwilio am ddillad teidi i'w gwisgo.

Roedd yr awyr yn glir, a haul gwelw mis Ionawr yn tywynnu ar y ffenestri hirgul, wrth i Dad yrru drwy gatiau'r plas.

'Fan 'na byddwn ni'n byw,' meddai Dad, gan arafu'r car a phwyntio at y llawr ucha a'r tair ffenest ar y dde. 'Fan 'na. Chi'n gweld?'

Nodiodd Hanna a gwasgu'i llaw dros ei stumog.

'Mae gyda ni'n drws ein hunain sy'n arwain i'r fflat,' meddai Mam. 'Math o ddrws ffrynt yw e, er ei fod e yn y cefn. Ac mae gyda ni le i barcio a garej hefyd.'

'Ond byddwn ni'n parcio o flaen y drws ffrynt go iawn heddi,' ychwanegodd Dad, 'gan mai mynd i weld Mrs Lester 'yn ni.'

Diflannodd y plas o'u golwg wrth i'r car rowndio'r bryn, a chyffyrddodd Hanna â llaw ei brawd â blaen ei bys. Gwenodd Harri, ond heb edrych arni. Doedd yr un ohonyn nhw wedi dweud gair ers gadael Rhif 3.

'Fan 'na mae'r lôn sy'n arwain at ein drws ni,' meddai Dad, a phwyntio at lôn oedd yn rhedeg heibio i wal gefn yr hen neuadd.

Edrychodd Mam dros ei hysgwydd a gwenu'n galonnog ar yr efeilliaid. Gwenodd Hanna'n ôl a chwythodd Harri anadl i'w fochau. Roedd Harri wedi cribo'i wallt yn fflat cyn gadael y tŷ, ond wrth i'r car arafu, llaciodd rhai o'i gwrls a chodi fel sbrings ar ei ben.

Agorwyd drws ffrynt y plas a daeth Mrs Lester allan i'w croesawu. Roedd hi'n arogli'n hyfryd, fel o'r blaen, ac yn gwisgo blowsen wen sidanaidd,

cardigan hir las tywyll, trywsus o'r un lliw a
sodlau main uchel.

'Croeso, croeso i chi i gyd,' galwodd yn
serchog, gan estyn ei braich a'u sgubo i mewn i
Blas Hirfryn.

Doedd Harri a Hanna erioed wedi bod yn y
plas go iawn. Dim ond yn yr hen neuadd fuon
nhw gyda'r ysgol. Roedd y plas yn hollol

wahanol. Roedd Mam yn iawn, meddyliodd Hanna wrth gamu i'r cyntedd. Wel, yn hanner iawn. Roedd hi wedi dweud bod y tŷ'n hyfryd, ac roedd e hefyd, ar un ystyr. Roedd paent melyn fel lliw briallu ar y waliau, ac roedd popeth yn sgleinio – y paent, y celfi, yr addurniadau, a'r lluniau ar y waliau. Ond roedd 'na deimlad oer yno, rywsut. Roedd y lle'n rhy fawr, yn rhy daclus, ac yn rhy debyg i amgueddfa.

Roedd Mrs Lester yn gwenu ar bawb, ac roedd Hanna'n gwenu hefyd. Ond roedd ei gwên hi fel gwên ar wyneb dyn eira sy'n barod i doddi. Plygodd ei phen wrth fynd i mewn i'r stafell fyw, a phan ddywedodd Mrs Lester, 'Eisteddwch, eisteddwch,' fe ddisgynnodd i'r gadair agosaf at y ffenest.

Wrth ddisgyn, gwelodd wyneb bachgen yn syllu arni o ffrâm fawr arian. Syllodd yn ôl arno'n syn. Roedd y bachgen yn iau na hi, gyda gwallt golau, ac roedd e'n gwisgo siaced ysgol smart oedd ychydig yn rhy fawr iddo. Ond y wên ar ei wyneb dynnodd sylw Hanna. Roedd y wên yn fwy diflas na'i gwên hi, hyd yn oed. Er bod corneli'i geg yn troi tuag i fyny, roedd golwg siomedig a phryderus yn ei lygaid.

'Dad,' sibrydodd Hanna, wedi i Mrs Lester ddiflannu i'r gegin. 'Ife Steffan Lester yw hwnna?'

'Ie,' meddai Dad.

'Pam mae e'n edrych mor drist?'

Cododd Dad ei ysgwyddau, ac edrych ar y bachgen o gil ei lygad.

'Falle bod Mrs Lester wedi rhoi chwip din iddo,' meddai Harri'n slei.

'Shhhh!' meddai Mam a Dad, a throi tuag ato mewn braw.

Roedd Mrs Lester yn dod yn ei hôl a sŵn troli'n tincian ar hyd y coridor. Cododd Mam i'w helpu i lywio'r troli drwy'r drws. Ar y troli roedd pot o goffi, cwpanau, dau wydraid o sudd, a phlateidiau o fwydydd bach amrywiol.

'Nawr 'te, chi'ch dau,' meddai Mrs Lester wrth Harri a Hanna. 'Beth am i chi nôl y byrddau bach o'r gornel, rhoi un i bob un, ac yna estyn at y bwydydd? Cymerwch faint fynnwch chi o bob peth.'

Cododd Hanna. Roedd hi'n teimlo'n stiff ac yn lletchwith, fel robot bron, wrth symud rhwng y cadeiriau ac estyn plât i Mam a Dad ac i Mrs Lester ei hun. Ac eto roedd ei chalon yn curo'n gyflym a'i llygaid mor fawr ac mor ofnus â llygaid y bachgen yn y llun.

'Cymer fwyd i ti dy hun nawr, Hanna fach,' meddai Mrs Lester. 'Dere.'

Mrs Lester ei hun lwythodd y bwyd ar blât iddi, a disgynnodd Hanna i'w chadair a'r plât llwythog ar ei glin. Tynnodd anadl hir, ac arogli'r bwyd. Bron ar unwaith anghofiodd Hanna deimlo'n lletchwith ac annifyr. Anghofiodd hi am bopeth ond y bwyd, y cymysgedd o wy a chig a llysiau ar ddarnau bach o dost, a'r cacennau a'r teisennau pitw. Dim ond llond ceg oedd pob un o fwydydd bach Mrs Lester, ond roedd y cyfan yn gymysgedd o flasau cyffrous. Wrth glirio'i phlât a theimlo'r bwyd yn toddi ar ei thafod, gwenodd Hanna go iawn ar Harri, a gwenodd Harri'n ôl, ei lygaid yn disgleirio a'i geg yn llawn.

Biti na allai'r bachgen bach yn y llun gael llond plât o fwyd i godi'i galon, meddyliodd Hanna, wrth suddo'n ôl i'w sedd. Roedd e'n dal i syllu i'r pellter â'i wên dorcalonnus. Roedd e'n syllu'n syth ar ei fam, sylwodd.

Syllodd Hanna hefyd. Roedd y powdwr ar fochau Mrs Lester yn disgleirio fel haenen denau o sidan. Roedd popeth yn y tŷ'n disgleirio, heblaw am wyneb Steffan. Trodd Hanna i edrych drwy'r ffenest ar y lawnt hardd o flaen y tŷ. Roedd y llwydrew'n toddi oddi ar y coed ceirios ar hyd ei hymyl, ac ym mhob diferyn o ddŵr dawnsiai enfys fach ddel. Wrth i Hanna'u gwylio, daeth fflach o olau llachar, ac am foment meddyliodd hi fod y diferion i gyd wedi ffrwydro. Ond, na. Doedd y golau'n ddim byd ond adlewyrchiad yr haul oddi ar ffenestri'r car llwyd oedd yn gyrru drwy gatiau'r plas.

Roedd Mrs Lester hefyd wedi sylwi ar y car.

Cododd ar ei thraed a syllu arno â llygaid main. 'Ymwelwyr,' meddai, a throi at Mam a Dad. 'Mae'n ddrwg gen i am hyn, ond tybed a fyddai ots 'da chi i gyd fynd i aros amdana i yn y fflat, tra bydda i'n delio â nhw?'

'Dim o gwbl.'

Cododd Mam a Dad, ac amneidio ar y plant. Roedd sŵn y car i'w glywed yn nesáu tuag at y plas.

'Gallwch chi fynd lan i'r fflat drwy'r tŷ am y tro,' meddai Mrs Lester. Aeth allan i'r cyntedd yn gyflym, a dod yn ôl ag allwedd yn ei llaw. 'Lan y grisiau, troi i'r dde. Fe fydda i gyda chi cyn gynted ag y galla i.'

Wrth gerdded at y drws, gwelodd Hanna gip o'r car llwyd yn stopio yn ymyl eu car nhw. Canodd cloch y drws ffrynt, ond chymerodd Mrs Lester ddim sylw. Canodd y gloch am yr eilwaith, pan oedd y Jamesiaid ar y stâr. Brysiodd pawb. Yn amlwg roedd Mrs Lester eisiau iddyn nhw fynd o'r ffordd cyn iddi agor y drws ffrynt. Ar ôl cyrraedd y landin, trodd pawb i'r dde, o'i golwg, ac anelu am ddrws yn y pen draw.

Roedd dau follt ar y drws. 'Carchar!' sibrydodd Harri mewn llais sbwci, wrth i Dad eu hagor.

'Sh!' meddai Mam.

'Carchar!' sibrydodd Harri eto. 'Da-da! Mae Mrs Lester yn mynd i'n cloi'n ni y tu ôl i'r drws 'na. Mae hi'n mynd i'n pesgi ni fel Hansel a Gretel a'n bwyta ni.'

'Sh!' meddai Mam a giglan. 'Fyddwn ni ddim yn defnyddio'r drws 'ma fel arfer. Bydd hwn yn cael ei gadw ynghau ac ynghlo.'

'Mae bolltau bob ochr,' eglurodd Dad, 'felly fydd Mrs Lester ddim yn gallu cerdded i mewn i'n stafelloedd ni, a fyddwn ni ddim yn gallu mynd i mewn i'w stafelloedd hi. A bydd gyda ni allwedd yr un.' Gwthiodd Dad yr allwedd i'r clo.

'Gwîîîîich . . .' Gwnaeth Harri sŵn gwichian sbwci, ond agorodd y drws yn esmwyth a thawel. Yn y cyntedd islaw roedd y drws ffrynt ar agor hefyd, a llais trwm yn cyfarch Mrs Lester.

Hysiodd Dad ei deulu i mewn i'r fflat, a chau'r drws ar eu holau.

'Waw!' Mewn chwinc, anghofiodd Harri y cyfan am fod yn sbwci.

'Waw!' meddai Hanna hefyd.

Er mai ym Mhlas Hirfryn oedd y fflat, roedd hi wedi disgwyl gweld stafelloedd bach cyfyng, tebyg i rai Anti Mel, oedd yn byw mewn fflat yn y dre. Ond roedd y stafelloedd hyn mor lân ac mor fawr â gweddill y plas. Roedd pob drws ar agor a'r haul yn tywynnu drwy'r ffenestri hirgul. Ar y chwith roedd cegin. Roedd honno'n dal heb ei gorffen, a'r cypyrddau sgleiniog du a hufen yn dal yn eu bocsys.

Drws nesa roedd stafell fyw, yn llawn o gelfi. Rhedodd Hanna i mewn a thaflu'i breichiau ar led. 'Laaaa!' canodd, a gwrando ar ei llais gwichlyd yn codi i'r nenfwd uchel.

'Dw i'n mynd i ddewis stafell wely,' meddai Harri, a charlamu ar hyd y landin nes dod at y stafell wely leia o'r cyfan. Roedd honno deirgwaith yn fwy na'i stafell gartre. 'Mega!' meddai gan ruthro'n ôl at Hanna. 'Mae digon o le i dri gwely yma, un bob un i fi, Liam a Dion.' Aeth i wasgu'i drwyn ar y ffenest a syllu ar y lawnt o flaen y tŷ. 'A byddwn ni'n gallu chwarae pêl-droed fan 'na.' Ochneidiodd yn hapus a'i anadl yn codi fel niwl dros y ffenest.

Wedi i'w brawd symud, rhwbiodd Hanna y ffenest a gwneud siâp llygad bach yn y niwl. Drwy'r llygad fe welodd hi ddyn yn camu rownd talcen y plas ac yn sefyll yn ymyl y car llwyd.

Tad Ieuan oedd e, yn ei iwnifform plismon.

10

Bum munud yn ddiweddarach, pan oedd pawb yn edmygu'r bathrwm newydd sbon, fe glywson nhw ddrws ffrynt y plas yn agor. Sbonciodd Harri at ffenest ei stafell wely a sbecian rownd y llenni.

'Maen nhw'n mynd,' sibrydodd. 'Tad Ieuan sy'n gyrru'r car, ac mae rhyw ddyn arall gyda fe.'

Chwyrnodd injan y car ar y gair, a chaewyd drws ffrynt y plas yn glep. Cyn pen chwinc, mor sydyn nes dychryn pawb, agorwyd y drws ym mhen pella'r coridor, a brasgamodd Mrs Lester drwyddo. Aeth ar ei hunion i'r stafell fyw, gyda Mam a Dad yn ei dilyn, a sefyll o flaen y ffenest.

Roedd golwg wedi gwylltio ar Mrs Lester. Chymerodd hi ddim sylw o neb, dim ond gwylio'r car llwyd yn gyrru i gyfeiriad Llanaron.

'Yr heddlu oedd 'na,' meddai, wedi i'r car fynd o'r golwg. 'Ro'n i'n bwriadu dweud wrthoch chi. Dw i'n mynd i ffwrdd ar fy ngwyliau ddechrau'r wythnos nesaf. Mae'r heddlu'n poeni bod y tŷ'n wag, ond mae e wedi bod yn wag droeon o'r

blaen, ac mae gen i larwm ar bob drws a ffenest.
Pam mae angen cymaint o ffys, wn i ddim.'

'Mae'r plismyn ar bigau'r drain o achos yr holl
helynt ar yr arfordir, siŵr o fod,' meddai Mam
yn gysurlon.

'O?' Trodd pen Mrs Lester fel ceiliog y gwynt.
'A beth wyddoch chi am hynny?' gofynnodd yn
swta.

'Wel . . . dim mwy na neb arall,' meddai Mam.

'Ond mae rhywbeth o'i le, yn does? Mae 'mrawd wedi cael sawl galwad . . .'

'Mae'ch brawd yn un o Wylwyr y Glannau, fel dw i'n deall,' meddai Mrs Lester ar ei thraws.

'Ydy.' Edrychodd Mam arni'n syn. Sut oedd Mrs Lester yn gwybod am Wncwl Hef?

'A beth yw ei farn e?'

'Barn?' meddai Mam fel parot.

'Beth mae e'n feddwl sy'n digwydd?' gofynnodd Mrs Lester yn ddiamynedd. 'Mae'r gwasanaethau brys wedi cael eu galw allan sawl gwaith, fel dwedoch chi, ond ar ôl cael eu galw allan, dy'n nhw byth yn ffeindio neb na dim.'

'Mae Hef yn amau mai galwadau maleisus 'yn nhw,' meddai Dad. 'Ar ôl helynt y smyglwyr yn Abertawe ym mis Hydref, mae rhywrai'n cael hwyl yn ffonio'r heddlu ac yn esgus eu bod nhw wedi gweld cwch mewn trafferthion ar y môr.'

'Hwyl?' holodd Mrs Lester yn wawdlyd.

'Wel, hwyl o'u safbwynt nhw,' meddai Dad. 'Dyw e ddim yn hwyl i neb arall.'

'Na. Wel, gobeithio y caiff y bobl sy'n ffonio eu dal,' meddai Mrs Lester, gan syllu drwy'r ffenest. 'Gorau po gynted.'

Sylwodd Hanna ar ei hadlewyrchiad ar y gwydr. Er syndod iddi, roedd gwefusau Mrs Lester yn crynu. Cyfarfu llygaid y ddwy, ac ar unwaith llithrodd rhyw rith o wên dros wyneb gwraig y plas. 'A beth amdanoch chi'ch dau?' gofynnodd i'r efeilliaid. 'Ydych chi'n hapus â'r fflat?'

'Ydyn, diolch,' atebodd Harri a Hanna, gan wenu arni.

'Da iawn.' Trodd Mrs Lester at Dad. 'Alwyn, ga i ofyn cymwynas i chi?' gofynnodd. 'Dw i'n gwybod nad ydych chi'n dechrau'ch gwaith go iawn tan fis nesa, ond tybed a allech chi gadw llygad ar y lle tra bydda i i ffwrdd?'

'Wrth gwrs,' meddai Dad.

'Fe fydda i'n eich talu chi, wrth gwrs' meddai Mrs Lester. 'A dw i ddim yn disgwyl i chi wneud llawer, dim ond rhoi tro o gwmpas y stad unwaith y dydd, a nodi os oes unrhyw beth o'i le.'

'Dim problem.'

'Ardderchog.' Gwenodd Mrs Lester yn gyflym. 'Beth am i ni'n dau fynd allan i fi gael dangos y stad i chi nawr 'te?'

Heb aros i Dad ateb, anelodd Mrs Lester am y stâr oedd yn arwain at y drws cefn. Cydiodd Dad yn ei gôt a'i dilyn.

Wedi i'r drws gau, winciodd Mam ar Harri a Hanna. 'Oeddech chi'n dweud y gwir?' sibrydodd. ''Ych chi'n hoffi'r fflat?'

'Ydw,' meddai Harri, ac esgus cicio pêl i gyfeiriad drws y gegin. 'Mae digon o le i roi gôl draw fan 'na a . . .'

'Harri!' rhybuddiodd Mam.

Chwarddodd Harri a diflannu i lawr y coridor i weld ei stafell eto.

'Beth amdanat ti, Hanna?' gofynnodd Mam.

'Wel . . . mae e braidd yn grand, on'd yw e?'

'Dwyt ti ddim yn hoffi pethau crand?'

'Falle.'

'Mi fyddi di'n hoffi'r lle, yn byddi?' gofynnodd Mam yn obeithiol.

'Byddaf,' meddai Hanna i'w phlesio.

Rhoddodd Mam ei braich amdani, ac aeth y ddwy i sefyll wrth y ffenest a syllu dros diroedd eang Plas Hirfryn.

'I feddwl bod Mrs Lester wedi clywed am Wncwl Hef,' meddai Mam.

'Falle'i bod hi'n ei ffansïo fe,' meddai Hanna'n gellweirus. 'Lwcus fod Lili ddim yma, neu fe fydde hi eisiau i'r ddau briodi.'

Daeth pwff mawr o chwerthin oddi wrth Mam. Ar unwaith fe ffrwydrodd Hanna hefyd. Tra oedd y ddwy'n chwerthin ei hochr hi, cerddodd Dad a Mrs Lester heibio i ffrynt y tŷ ac edrych i fyny arnyn nhw'n syn.

11

Ddiwedd Ionawr cyrhaeddodd cerdyn post o ynysoedd y Maldives yn Rhif 3, Stad Rhydwen. Arno roedd llun o awyr ddigwmwl, môr glas, traeth euraid, a'r neges, 'Edrych ymlaen at eich gweld fis nesa. Stella Lester.'

Roedd hi wedi bod yn bwrw eira yng Nghymru. Am wythnos bron roedd Llanaron wedi bod yn gorwedd dan gwrlid gwyn. Dim ysgol, dim tripiau i'r dre, dim gwaith i Mam, a dim cyfle i Dad gerdded o amgylch stad Plas Hirfryn, fel roedd e wedi dechrau ei wneud yn selog bob dydd.

'Dim ots,' meddai Mam. 'Fydd dim lladron o gwmpas y lle ar dywydd fel hyn.'

'Bydden nhw'n gadael olion traed yn yr eira, a'i gwneud yn hawdd i ni eu dal nhw,' meddai Harri.

'Yn hollol.' Edrychodd Mam ar y cerdyn yn ei llaw. Hwn oedd y tro cyntaf i'r postmon ddod i'r pentre ers tro. 'Peth od yw meddwl bod Mrs

Lester yn gorwedd yn yr haul,' meddai, 'a ninnau'n crynu o oerfel fan hyn.'

'Mae'n boeth yng Ngholombia hefyd,' meddai Hanna. Roedd hi wedi teimlo mor ddiflas drwy'r bore nes ei bod wedi mynd ati i lunio clawr ffansi ar gyfer ei phrosiect Blwyddyn 6. Roedd hi wedi cael gafael ar luniau lliwgar o ffrwythau ac anifeiliaid De America, ac wedi'u gludo o gwmpas ffotograff o ddosbarth o blant ysgol Colombia. Roedd gan bob un ym Mlwyddyn 6 gopi o'r un ffotograff, oedd wedi cyrraedd ychydig cyn y Nadolig. Ynddo roedd tair rhes o blant yn eistedd o flaen drws eu hysgol yn yr haul poeth, gyda'u hathrawon y tu ôl iddyn nhw. Roedd gan bob un o'r plant, a'r mwyafrif o'r athrawon hefyd, wallt du a chroen brown fel Maria, ac roedden nhw'n gwenu 'run mor llon. Yn nrws yr ysgol safai dau ddyn gwallt golau, yn cysgodi rhag yr haul.

'Ti'n meddwl y ca i fynd i Golombia rywbryd?' gofynnodd Hanna i Mam.

'Pam lai?' atebodd Mam. 'Mae rhywun o Lanaron allan yno'n barod, yn does?'

'Pwy?'

'Pwy bynnag drefnodd fod eich ysgol chi'n cysylltu â'r ysgol yng Ngholombia.'

'Cael llythyr oddi wrth staff yr ysgol wnaeth Mr Edwards,' meddai Hanna.

'Ond rhaid bod rhywun wedi sôn wrthyn nhw am Lanaron,' meddai Mam.

Cododd Hanna'i hysgwyddau'n ddi-hid, a mynd i edrych drwy'r ffenest. Syllodd wyneb mawr gwyn yn ôl arni. Ar yr wyneb roedd dwy lygad botwm, trwyn moron, a rhes o ddannedd cerrig. Yn hongian o ochr pen y dyn eira, roedd sgwaryn bach coch. Lili oedd wedi mynnu gwneud trôns lwcus iddo, a'i hongian o'i glust, fel y gwnaeth Maria.

'Gobeithio nad yw Lili'n meddwl bod y trôns yn mynd i rwystro'r dyn eira rhag toddi!' meddai Hanna.

'Na,' meddai Mam. 'Mae hi'n mynd i roi trôns i Mrs Lester hefyd, meddai hi.'

'O!' Chwarddodd Hanna, a churo'r ffenest ar Dad, oedd wedi cerdded i'r siop i brynu bwyd. Gwyliodd e'n straffaglu'n ôl drwy'r eira a'i drwyn yn ei sgarff. Wnaeth e mo'i chlywed hi'n cnocio, nes ei fod bron wrth y drws. Hyd yn oed wedyn wnaeth e ddim gwenu, a phan ddaeth e i mewn i'r tŷ, hoeliodd ei lygaid ar Mam.

'Gest ti bopeth?' gofynnodd Mam.

'Do. Dere i weld.' Aeth Dad i'r gegin, a

dilynodd Mam ef. Arhosodd Hanna yn ei hunfan. Roedd hi wedi nabod yr olwg ar wyneb Dad. Roedd ganddo rywbeth i'w ddweud wrth Mam, a doedd e ddim am i neb arall glywed. Caeodd ddrws y gegin yn dawel bach.

Aeth Hanna i'r llofft. Eistedd wrth ei desg yn lliwio clawr y prosiect oedd hi pan ganodd y ffôn. Rhedodd i godi'r derbynnydd oedd yn stafell wely Mam a Dad, a chlywodd lais ei ffrind y pen arall.

'Courtney sy 'na,' galwodd ar Mam a Dad.

'Wyt ti wedi bwyta dy siocled eto?' gofynnodd Courtney'n llon.

'Be?'

'Dyw dy dad ddim wedi cyrraedd adre 'to?'

'Ydy.'

'Gweles i e'n prynu siocled a lot o bethe eraill yn y siop,' meddai Courtney.

'O.' Llyfodd Hanna'i gwefusau. 'Dw i ddim wedi'i gael e eto. Mae Dad yn siarad . . .'

'Gyda thad Ieuan,' meddai Courtney ar ei thraws.

'Nage siŵr, gyda Mam.'

'O, wel roedd e'n siarad gyda Les, tad Ieuan, ar y ffordd adre o'r siop,' meddai Courtney. 'Gweles i nhw.'

'Rwyt ti'n waeth na sbïwr,' meddai Hanna, ond roedd ei chalon yn curo'n gyflym. Y tro diwetha iddi weld tad Ieuan oedd ar y dreif o flaen Plas Hirfryn. Oedd rhywbeth wedi digwydd yn y plas, tybed? Ife dyna pam oedd Dad yn siarad gyda Mam?

Roedd Hanna'n trio meddwl am esgus i gael gwared â Courtney, pan glywodd hi'r ffôn lawr stâr yn cael ei godi a rhywun yn dechrau deialu.

'Hei! Mae Courtney'n dal ar y ffôn,' gwaeddodd.

'O.' Daeth llais Mam dros ben arall y lein. 'Oes ots 'da chi ddod â'r sgwrs i ben?' gofynnodd. 'Dw i'n gorfod gwneud galwad.'

Ffarweliodd Hanna'n gyflym â'i ffrind, a chripian i waelod y stâr.

Yn y gegin roedd Mam yn ffonio Mam-gu ac yn gofyn am Wncwl Hef. Symudodd Hanna un gris yn is. Er bod Mam yn sibrwd, clywodd yr enw Steffan Lester sawl gwaith cyn i'r sgwrs ddod i ben.

'Wel?' meddai Dad wrthi.

'Dyw Hef yn gwbod dim,' meddai Mam, 'ond mae e'n mynd i holi. Mae e'n dweud bod 'na bob math o storïau am smyglwyr ar led, ond alli di ddim credu'u hanner nhw.'

'Wel, roedd Les yn holi 'mherfedd i,' meddai
Dad. 'Ac o beth ddealles i, roedd e'n meddwl bod
Steffan Lester rywle yn yr ardal. Pan ddaeth e a'r
arolygydd i'r plas y diwrnod o'r blaen, chwilio
am Steffan oedden nhw, siŵr o fod. Roedd Mrs
Lester mewn tymer wyllt, os wyt ti'n cofio.'

'Mm,' meddai Mam.

'Dw i ddim am eich llusgo chi i gyd i ganol rhyw sefyllfa annifyr, Caren,' meddai Dad. 'Os oes rhywbeth o'i le ym Mhlas Hirfryn, dw i ddim yn mynd i dderbyn y swydd.'

'O, twt!' Roedd Mam yn grac yn sydyn. 'Alla i ddim credu bod Steffan Lester yn smyglwr na dim byd arall. Pam bydde fe ishe bod yn smyglwr?'

Crafodd cadair Mam dros lawr y gegin, a rhedodd Hanna yn ôl i'r landin, o'r golwg. Dihangodd i stafell Harri, lle roedd ei brawd yn chwarae ar ei Nintendo.

'Harri!

Dal i chwarae wnaeth Harri. Cydiodd Hanna yn ei fraich. Rhuodd Harri a thrio'i hysgwyd i ffwrdd.

'Gwranda!' sibrydodd Hanna yn ei glust. 'Mae tad Ieuan wedi bod yn holi Dad am Steffan Lester.'

'So?'

'Falle'i fod e'n smyglwr!'

'Smyglwr?' O'r diwedd roedd Harri'n glustiau i gyd.

'Sh!' Edrychodd Hanna dros ei hysgwydd. 'Clywed Dad yn dweud wrth Mam wnes i.'

'Waw!' Disgleiriodd llygaid Harri. 'Ti'n

meddwl ei fod e'n cuddio yn y twll offeiriad? Falle bod twnnel yn arwain o'r plas i . . .'

'Paid!' Crynodd Hanna. 'Dyw e ddim yn jôc. Mae Dad yn poeni. Falle fyddwn ni ddim yn symud wedi'r cyfan.'

'Oooo!' meddai Harri'n grac. 'Dw i wedi dweud wrth Liam a Dion am fy stafell i . . .'

'Sh!' meddai Hanna. 'Mae Mam yn dod lan y stâr.'

'Popeth yn iawn?' gofynnodd Mam yn sionc, pan welodd hi Hanna'n syllu arni. 'Sori 'mod i wedi i torri ar dy draws di a Courtney. Mae'r ffôn yn rhydd i ti nawr.' Aeth Mam yn ei blaen i'w stafell wely.

Edrychodd Harri a Hanna ar ei gilydd. Cododd Harri'i ysgwyddau a gwasgu botwm y Nintendo unwaith eto.

'Ti'n siŵr dy fod ti wedi golchi dy glustiau?' mwmiodd.

'Ydw! Clywes i Dad yn dweud.'

'Sdim smyglwyr i gael,' wfftiodd Harri. 'Dyw Wncwl Hef ddim wedi cael galwad ers dros fis nawr. Dad sy'n gwneud ffys. Betia i ti byddwn ni'n symud. Betia i ti.'

12

Roedd Harri'n iawn. Am fis a mwy, tra oedd eira'n dal ar lawr, roedd popeth yn dawel ar hyd yr arfordir.

Ddechrau mis Chwefror daeth Mrs Lester yn ôl o'i gwyliau, a dechreuodd Dad ar ei waith ym Mhlas Hirfryn. Bob bore am chwarter i wyth roedd e'n beicio draw i'r plas, ac yn dod adre erbyn hanner awr wedi tri. Er gwaetha'r tywydd oer roedd e wrth ei fodd, ei fochau'n goch, ei lygaid yn disgleirio, a'i ben yn llawn cynlluniau ar gyfer gerddi'r plas.

O achos yr eira, fyddai'r fflat ddim yn barod tan ddiwedd mis Chwefror. Felly roedd Mam a Dad wedi penderfynu symud ar yr ail o Fawrth, gan fod hwnnw'n ddydd Gwener a'r ysgol ar gau o achos hyfforddiant mewn swydd.

'Allwn ni ddim gadael popeth tan y funud ola,' meddai Mam. Roedd hi wedi dod â phentwr o focsys gwag o sgubor Wncwl Hef, ac am bythefnos cyn y symud bu pawb wrthi'n ddyfal yn pacio, ac yn mynd ag ambell lwyth i'r ganolfan ailgylchu.

Er bod Mrs Lester wedi dweud bod croeso iddyn nhw ddefnyddio'r soffa a'r cadeiriau oedd yn stafell fyw'r fflat, roedd yn well gan Mam fynd â'r hen gadeiriau o Rif 3.

'Alla i ddim dioddef meddwl amdanoch chi'ch tri'n dringo dros gelfi Mrs Lester ac yn eu difetha nhw,' meddai Mam.

'Fyddai dim ots gan Mrs Lester,' meddai Harri.

'Wel, fyddwn i ddim yn hapus,' mynnodd Mam.

Roedden nhw'n mynd â'u gwelyau gyda nhw hefyd, a desgiau Harri a Hanna. Gan fod y celfi braidd yn siabi, roedd Mam wedi bod wrthi'n glanhau, yn peintio a pholisio, ac roedd Maria wedi dod draw i helpu fwy nag unwaith.

'Bydd y lle'n wag ar ôl i ni fynd,' meddai Mam wrth Maria, pan oedden nhw ar ganol polisio celfi un noson. Roedd yr arwydd 'Ar Werth' yn dal y tu allan i Rif 3, ond doedd neb wedi dod i weld y tŷ ers dros ddeufis. 'Felly os yw dy ffrindiau neu dy deulu di eisiau dod draw, mae croeso iddyn nhw aros 'ma.'

'Ond fydd 'na ddim gwelyau,' meddai Hanna.

'Gall Hef ddod â gwelyau a chadeiriau draw

o Danchwarel,' atebodd Mam. 'Mae gyda fe lond sgubor o gelfi.'

'Mae e'n dwlu ar ocsiynau,' eglurodd Hanna wrth Maria. 'Ac mae e'n prynu ar eBay hefyd.'

Roedd Maria ar ganol crafu glud oddi ar ddesg Harri. Stopiodd, a chiledrych ar Mam a Hanna.

'Bydd Este'n dod yma cyn bo hir,' meddai'n swil.

'O!' meddai Mam, ac edrych arni'n syn. 'Gwych!' meddai wedyn.

Anaml oedd Maria'n sôn am Este, ac roedd Mam wedi amau bod rhywbeth o'i le. 'Bob tro mae hi'n dweud ei enw e, mae rhyw olwg letchwith arni,' meddai Mam. 'Synnwn i ddim fod y ddau wedi cweryla cyn iddi ddod draw. Falle mai dyna pam ddaeth hi yn y lle cynta.'

Ond wedi iddi sylweddoli bod popeth yn iawn rhwng y ddau, roedd Mam wrth ei bodd. 'Rho di wybod i fi pan fydd Este'n dod, ac fe wnawn ni drefniade,' meddai wrth Maria. 'Mae gan Hef allwedd i'r tŷ, a fydd e ddim chwinc yn dod â chelfi draw.'

'Diolch.' Tynnodd Maria anadl, fel petai am ddweud mwy, ond y funud honno rhedodd Lili i mewn i'r stafell, rhoi'i throed ar y tun polish a disgyn ar ei phen-ôl. Erbyn iddyn nhw'i hachub hi a thawelu'r sgrechiadau, roedd pawb wedi anghofio'r cyfan am Este.

Yn ddiweddarach fe soniodd Mam amdano wrth Wncwl Hef, ac addawodd yntau y byddai'n dod â chelfi os byddai angen.

'Fe ddo i â nhw yn y trelar sy'n cario dom da,' meddai wrth Lili, gan wincio'n ddrygionus. 'Y trelar fydd yn cario dy gelfi di i Blas Hirfryn.'

13

Ar yr ail o Fawrth stopiodd trelar Wncwl Hef o flaen Rhif 3 am wyth y bore, a rhedodd Lili allan ar unwaith i gael sbec arno.

'Mae e'n lân!' gwaeddodd. 'Dim dom!'

'Wrth gwrs ei fod e'n lân,' bloeddiodd Wncwl Hef, gan godi Lili ac esgus ei thaflu i mewn.

Roedd pawb wedi bod ar eu traed am awr a mwy yn disgwyl am Wncwl Hef, ac aeth pawb ati ar unwaith i lwytho fel lladd nadroedd. Roedd Harri a Hanna'n methu aros i symud erbyn hyn. Ers i Rif 3 ddechrau llenwi â bocsys, doedd e ddim yn teimlo fel cartre go iawn.

Fe gymerodd dri llwyth, a theirawr o waith caled, cyn i Mam allu cloi'r drws ffrynt o'r diwedd. Chwifiodd yr allweddi'n llon, a chodi'i bawd ar Wncwl Hef oedd yn eistedd yn ei Landrover, gyda Harri wrth ei ochr a Hanna a Lili yn y cefn. Y tu ôl i'r Landrover roedd y trelar yn llawn dop, a'r tu ôl i hwnnw roedd Dad yn disgwyl yn ei gar llwythog. Wrth i Mam fynd at

y car, gwaeddodd Wncwl Hef, 'Bant â'r cart!' a thanio injan y Landrover.

Ar unwaith neidiodd dau ben i'r golwg o'r tu ôl i'r clawdd gyferbyn, a rhedodd Liam a Dion drwy'r gât gan ddechrau rasio'r Landrover ar hyd y palmant. Ar y tro i'r ffordd fawr, safon nhw fel dau filwr, saliwtio a gweiddi, 'Hwyl fawr, Syr Harri, Ledi Hanna, Ledi Lili!'

Gwasgodd Harri'i drwyn ar y ffenest, a thynnu wynebau arnyn nhw nes i'r ddau ddiflannu o'r golwg.

'I Blas Hirfryn, *chauffeur*,' meddai wrth Wncwl Hef.

'Ai, ai, syr,' meddai Wncwl Hef.

'Mama!' meddai Lili'n sydyn, mewn llais babi.

'Paid â phoeni. Mae hi'n dod,' meddai Hanna gan sbecian dros ei hysgwydd ar do'r car glas yn chwarae mig y tu ôl i'r trelar. Y tu ôl i'r car roedd tryc mawr lliw mwd gyda tho meddal.

Wrth i'r Landrover gyrraedd cyrion y pentre, clywyd 'Bîîîîp!' chwyrn, ac fe basiodd y tryc ar wib. Yn y cefn roedd rhes o ddynion mewn gwisgoedd gwyrdd a brown.

'Waw!' meddai Harri. 'Milwyr go iawn! Milwyr yn chwilio am y Tad Harri!'

Trodd i wincian ar ei ddwy chwaer, ond sobrodd wrth weld wyneb Lili.

'Dim ond jôc oedd e,' plediodd. 'Dy'n nhw ddim yn chwilio am y Tad Harri. Does 'na ddim Tad Harri go iawn. Fi oedd e, ontefe?'

Ond roedd Lili wedi mynd i banig sydyn. Roedd hi'n gwingo a chwffio, ac er i Hanna straffaglu i'w chadw yn ei lle, fe lwyddodd i wthio strapiau'i gwregys dros ei hysgwydd, codi ar ei phengliniau ac estyn at y ffenest gefn. Tan y foment honno, doedd Lili ddim wedi poeni o gwbl am symud i Blas Hirfryn. Dim ond nawr oedd hi wedi sylweddoli eu bod nhw'n symud go iawn.

'Mam!' llefodd, a'i llaw'n agor a chau fel seren fôr.

'Hei, gan bwyll!' meddai Wncwl Hef. 'Mae Mam yn dod. Byddwn ni'n cyrraedd cyn bo hir nawr.'

'Eistedd lawr,' meddai Hanna.

'Dim . . . ishe!' Cododd llais Lili'n sgrech. Sbeciodd yn gyflym dros ei hysgwydd. Roedd y tryc wedi gorfod arafu y tu ôl i lorri, a wynebau gwynion i'w gweld yn y cefn. 'Milwyr!' llefodd.

'Ffrindiau i fi yw'r milwyr 'na,' meddai Wncwl

Hef. 'Bues i'n siarad â nhw yn y dre neithiwr. Wir! Maen nhw wedi bod yn helpu Gwylwyr y Glannau. Pobl dda 'yn nhw.'

'Mama!' sgrechiodd Lili fel seiren gan grafu'i bysedd i lawr y ffenest.

'Bydd Mam yn dod nawr,' meddai Hanna, gan afael yn dynn yn siwmper ei chwaer. Diolch byth, roedden nhw'n cyrraedd y tro i Blas Hirfryn. 'Edrych, Lil. Ry'n ni'n troi i lawr fan hyn, ac mae'r tryc yn mynd ar hyd yr hewl arall.'

Trodd Lili fel top, a gweld cip o'r tryc yn ddiflannu o'r golwg. Wrth i'r Landrover droi i lawr yr hewl gefn oedd yn arwain at Blas Hirfryn, tynnodd Lili anadl hir, grynedig a suddo i'w sedd. Clymodd Hanna'r gwregys amdani, a gorweddodd Lili'n swrth a'i bochau'n symud yn araf fel pe bai'n sugno bawd, er bod ei dwylo yn ei chôl.

Ddywedodd neb air, dim ond dal eu hanadl. Doedd dim sŵn i'w glywed heblaw chwyrnu'r injan, ac ambell frigyn yn crafu'r ffenest. Ar waelod y rhiw arafodd Wncwl Hef yn swnllyd, a gyrru'n ofalus drwy gatiau Plas Hirfryn. Ar unwaith gwibiodd llygaid Lili i gyfeiriad y plas oedd yn sefyll led cae i ffwrdd, fel cacen ar blât, a'i ffenestri'n fflamio yng ngolau'r haul.

Disgynnodd deigryn ar gefn llaw Hanna. Roedd Lili'n crio'n dawel, a'i hwyneb yn rhychau coch drosto i gyd.

'Lili-sili-bili,' canodd Wncwl Hef yn ysgafn, a wincio arni yn y drych gyrru.

Dechreuodd y Landrover wau ei ffordd i fyny'r bryn. Cyn cyrraedd y plas ei hun, trodd Wncwl Hef i'r chwith a gyrru heibio i gefn yr adeilad, nes cyrraedd y cwrt o flaen y drws llwyd oedd yn arwain at y fflat.

Pan oedd y Landrover wedi stopio, symudodd Lili fel gwenci. Agorodd ei gwregys a hyrddio'i hun allan drwy'r drws. Ar unwaith llithrodd ei thraed oddi tani a disgynnodd yn glep. Wrth glywed ei sgrech, cododd brain o'r coed a symudodd cysgod dros un o ffenestri'r llawr gwaelod.

'Lil!' Bu bron iawn i Mam gwympo hefyd. Roedd y cwrt cefn yn dal yn y cysgod, a theiars y Landrover wedi gwau patrymau ar y llwydrew. Rhuthrodd Mam at Lili a'i chodi yn ei breichiau.

'Ish . . . ish . . . ishe mynd adre,' llefodd Lili.

'Dere di. Dere i weld ble mae Dad ac Wncwl Hef wedi rhoi dy deganau di.'

Ysgydwodd Lili'i phen a chuddio'i hwyneb yn siwmper Mam.

'Cariwch beth allwch chi,' meddai Mam wrth Harri a Hanna, ac anelu am y drws cefn gyda dwy allwedd yn ei llaw rydd.

Wrth i'r efeilliaid gario bagiau lan y stâr, roedden nhw'n clywed Lili'n dal i grio'n dawel uwch eu pennau.

Gollyngodd Harri a Hanna'r bagiau ar lawr y stafell fyw yn ymyl llwyth o focsys. Yn y stafell enfawr roedd y pentwr o focsys yn edrych yn syndod o fach a di-nod. Roedd y soffa a'r ddwy gadair freichiau oedd wedi dod draw o Rif 3 yn edrych yn waeth fyth. Ond er mor ysgafn a siabi yr olwg oedden nhw, gwichiodd Lili pan welodd hi nhw, a phwyntio â'i llaw rydd. Suddodd Mam i gadair a'i magu wrth i'r lleill gario gweddill y bocsys lan stâr.

Newydd gyrraedd y landin gyda'r llwyth ola oedden nhw, pan ganodd y ffôn.

'Pwy sy'n gwbod ein rhif ni?' gofynnodd Mam yn syn wrth i Dad fynd i ateb.

'Helô, Mrs Lester,' meddai Dad gan edrych yn awgrymog ar Mam. 'Wel . . . sdim ishe i chi fynd i drafferth . . . Chware teg i chi . . . Iawn . . . Diolch yn fawr.' Rhoddodd y ffôn i lawr. 'Mae Mrs Lester wedi paratoi brechdanau i ni, ac am i ni fynd i lawr i'r plas.'

'Iesgyrn Dafydd,' meddai Mam mewn llais gwan, a gwasgu'i gwefusau ar wallt chwyslyd Lili.

'Chware teg iddi,' meddai Dad.

'Ie wir, ond ry'n ni i gyd fel sgryffs,' llefodd Mam. 'A does gen i ddim syniad ble mae'n dillad glân ni.' Triodd Mam godi, ond gwichiodd Lili fel llygoden fach a gafael yn dynn yn ei siwmper. 'O, dere, Lil fach. Dere gyda fi i'r bathrwm i molchi. Dwyt ti ddim wedi gweld y bathrwm eto. Mae'r gawod yn lyfli. Fe gei di a fi ŵn nos ysgafn newydd bob un. Byddwn ni fel dwy dywysoges.' Llwyddodd i symud Lili o'i chôl ac i lithro i erchwyn ei chadair. 'Reit,' meddai, 'dewch i ni'i symud hi.'

'Dw i am fynd adre,' meddai Wncwl Hef.

'Hef, 'chan. Rhaid i ti gael tamaid o fwyd,' meddai Dad.

'Bwyd, ie. Ond dw i ddim yn mynd i eistedd mewn rhyw le crand ac yfed te fel hyn,' meddai Wncwl Hef, gan wneud siapiau dwl â'i wefusau ac esgus cydio mewn cwpan te gan ddal ei fys bach yn yr awyr. 'Dw i'n mynd adre i gael mŵg mawr teidi o de, a phlataid mawr o fwyd, a bydda i'n bwyta fel hyn.' Gwthiodd Wncwl Hef ei ddwy benelin allan ac esgus rhofio bwyd i'w geg.

Gwenodd Lili'n ddagreuol ar Wncwl Hef. Edrychodd Harri a Hanna'n siomedig ar ei gilydd. Byddai wedi bod yn hwyl gweld Wncwl Hef yn trio bod yn grand go iawn.

14

Wedi i Wncwl Hef fynd, roedd Lili wedi dechrau
crio eto, a'r dagrau'n llifo'n dawel bach ar hyd ei
bochau glân. Roedd hi'n gwrthod gollwng llaw
Mam. Roedd pawb wedi cribo'u gwalltiau a
golchi'u hwynebau, ond heblaw am Dad – oedd
wedi llwyddo i ffeindio crys glân – roedd pawb
arall yn teimlo'n sgryffs go iawn yn eu jîns a'u
hen grysau chwys.

Aethon nhw i lawr stâr, allan drwy'r drws
llwyd, a throi i'r dde tuag at ffrynt y plas. Wrth
weld y drws ffrynt yn dechrau agor, sodrodd
Lili'i thraed yn gadarn ar lawr, cuddio'i hwyneb
ym mraich Mam a gwrthod symud cam.

'Lil!' ymbiliodd Mam. 'Der–'

'Iap, iap!' Torrodd swn cyfarth ar ei thraws.
Roedd Mrs Lester yn sefyll yn y drws a thennyn
yn ei llaw. Yn ei hymyl safai creadur enfawr brown
a gwyn. Sgrechiodd Lili a chuddio y tu ôl i Mam,
wrth i Mrs Lester a'r creadur symud tuag ati.

'Tegan yw e, Lil,' meddai Mam. 'Dim ond tegan.'

Roedd ci St Bernard yn hercian i lawr y grisiau ar bedair olwyn. Stopiodd yn ddigon pell oddi wrth Lili ac ysgwyd ei gynffon.

Gwasgodd Lili'i hwyneb yn erbyn Mam.

'Losin yw enw'r ci,' meddai Mrs Lester. 'Edrych. Mae e eisiau rhoi reid i ti.' Plygodd a thynnu'i llaw dros gefn llydan y ci.

Ddywedodd Lili 'run gair, dim ond sbecian o gil ei llygad a gwthio'i thafod allan i ddal y deigryn oedd yn rhedeg i lawr ei boch.

'Os hoffet ti gael reid,' meddai Mrs Lester, 'dere i mewn i'r tŷ, achos all Losin ddim dringo'r grisiau â llwyth ar ei gefn.' Cododd y ci yn ei breichiau a'i gario'n ôl drwy'r drws. Cododd Lili'i phen a syllu ar Mam. Sychodd Mam ei hwyneb, wincio arni, a chan gydio'n dynn yn nwylo'i gilydd, aeth y ddwy i mewn i'r plas. Gorffwysodd Dad ei freichiau ar ysgwyddau Harri a Hanna a llywio'r ddau drwy'r drws.

Roedd Mrs Lester wedi gollwng y ci ar lawr y cyntedd. Roedd ei ben yn cyrraedd hyd at glust Lili. Safodd y ddau wyneb yn wyneb, a llygaid glas Lili'n syllu i lygaid gwydr brown y ci. Er bod côt Losin yn sgleinio, roedd ei flew wedi treulio mewn mannau, ac roedd e wedi colli un o'i glustiau brown. Yn ei lle roedd ganddo un glust ddu.

Yn ara bach estynnodd Lili'i llaw arall a rhwbio'r glust ddu rhwng ei bysedd. Daeth sŵn bach o wddw Mrs Lester. Ar unwaith gollyngodd Lili'r glust, a gwthio'i bawd i'w cheg.

'Mae'n iawn,' meddai Mrs Lester, a chryndod bach yn ei llais. 'Ti'n gwbod be? Roedd bachgen bach o'r enw Steffan yn arfer mwytho clust Losin, yn union fel rwyt ti'n gwneud nawr. Roedd e'n arfer dweud stori wrth Losin, a mwytho'r glust ar yr un pryd.'

Tynnodd Lili ei bawd o'i cheg. 'Y glust ddu?' gofynnodd.

'Na,' meddai Mrs Lester. 'Roedd gan Losin ddwy glust frown unwaith, ond fe gollodd e un.'

Crychodd talcen Lili am foment. Yna sugnodd ei bawd eto, a nodio'n ddeallus. 'Bydd Maria'n dod â chlust frown iddo fe,' meddai.

Edrychodd Mrs Lester arni'n syn. 'Maria? Pwy yw Maria?'

'Ffrind i ni,' meddai Mam gyda gwên. 'Sbaenes yw hi. Mae hi'n gweithio yn yr Afallen ac wedi dysgu Cymraeg. Mae Lili'n dwlu arni ac yn meddwl ei bod hi'n gallu gwneud popeth, yn dwyt ti, Lil?'

Nodiodd Lili.

'Wel!' meddai Mrs Lester. 'Mae'n braf gallu gwneud popeth, on'd yw hi? Nawr 'te, dere i Dad dy godi di ar gefn Losin, Lili, i ti gael mynd am reid.'

'Lil? Ti'n barod?' meddai Dad.

Nodiodd Lili eto, a chododd Dad hi ar gefn y ci.

Am foment meddyliodd Hanna fod Lili am grio, ond wnaeth hi ddim. Yn ofalus tynnodd Lili'i llaw dros ben y ci, cyffwrdd â'i goler lledr, a throi i edrych ar ei gynffon. Yna fe bwysodd hi flaenau'i thraed ar y llawr a gwthio.

Rholiodd y ci tuag at y stafell fyw a dilynodd pawb hi. Yn y stafell fyw roedd y byrddau bach wedi'u gosod yn ymyl y cadeiriau, ac roedd llestri ar y bwrdd coffi. Caeodd Mam ei llygaid wrth i Losin daro yn erbyn cadair esmwyth.

'Mrs Lester,' meddai Lili, gan edrych dros ei hysgwydd. 'Pam mai Losin yw enw'r ci?'

'Wel,' atebodd Mrs Lester. 'Pan oedd Steffan yn dweud stori wrth y ci, roedd e'n rhoi'i wefusau yn ymyl ei glust, yn union fel petai e'n bwyta.'

'Bwyta Losin?'

'Ie.'

'O!' Mwythodd Lili ben Losin, a neidio'n ôl mewn braw wrth i'r ci ddechrau cyfarth.

'Rwyt ti wedi gwasgu botwm,' meddai Mrs Lester. 'Gwasga fe eto.' Dangosodd i Lili ble i roi'i bys, a stopiodd y cyfarth. 'Da iawn. Nawr, wyt ti a Losin am ddod gyda fi i'r gegin i nôl y te a'r brechdanau?'

Nodiodd Lili a throi'r ci mewn hanner cylch. Trawodd ei ben-ôl yn erbyn un o'r byrddau bach, ond llwyddodd Dad i'w ddal mewn pryd.

'Wyt ti ar bigau'r drain, Mam?' gofynnodd Harri gyda gwên.

'Dw i ar bigau'r pentwr mwya o'r drain mwya pigog welest ti erioed,' chwyrnodd Mam. 'Mae Lili'n siŵr o dorri rhywbeth!'

Yn y gegin roedd Lili'n parablu'n hapus, y ci'n cyfarth a Mrs Lester yn chwerthin wrth lwytho'r llestri ar droli.

Neidiodd Mam ar ei thraed i helpu cyn gynted ag y daeth y troli i'r golwg. Ei bwriad oedd stopio Lili cyn i honno yrru'r ci ar ei ben i'r bwrdd coffi.

'Dere i eistedd i lawr am funud fach, Lil,' meddai Mam yn wichlyd. 'Fe gei di fynd ar gefn Losin wedyn.'

Dringodd Lili oddi ar gefn Losin yn syth, a rhoi hwb i'r ci yn erbyn y soffa. Yna eisteddodd hi yn ei ymyl a rhoi'i llaw ar ei ben. Gan gadw un llygad ar Mrs Lester oedd yn gweini'r te, dechreuodd sibrwd i mewn i'r glust ddu.

'Wyt ti'n dweud stori wrth Losin?' gofynnodd Mrs Lester.

Disgleiriodd llygaid Lili. 'Dw i'n dweud bod Steffan wedi mynd i ffwrdd,' meddai, 'ond dim ots, achos galla i ddweud stori wrtho fe bob nos. A mwytho'i glust.'

'Na, Lili,' meddai Mam. 'Ci Mrs Lester yw Losin.'

Roedd y tebot yn crynu yn llaw Mrs Lester. Rhoddodd hi e i lawr a sychu'r diferyn o de oedd wedi sarnu ar y bwrdd.

'Na,' meddai. 'Mae'n iawn. Mae croeso i Lili gael y ci.'

'Ond ci eich teulu chi yw e,' meddai Dad.

'A bydd Lili'n gofalu amdano fe,' atebodd Mrs Lester heb edrych ar neb. 'Aeth Steffan i ffwrdd i'r ysgol a gadael y ci, yn do? Ond ei di ddim i ffwrdd, ei di, Lili?'

Edrychodd Lili'n ddryslyd ar Mam.

'Na, dwyt ti ddim yn mynd i ffwrdd i ysgol,' meddai Mam. 'Rwyt ti'n mynd i Ysgol Llanaron, ac yn dod adre bob prynhawn, yn dwyt?'

Nodiodd Lili.

'Roedd Steffan yn mynd i ysgol fel un Harry Potter, Lil,' meddai Harri.

'Wel, nid yn hollol,' meddai Mrs Lester, a syllu ar draws y stafell ar lun Steffan yn ei wisg ysgol.

Sylwodd Hanna ei bod yn edrych yn llawn cywilydd, fel petai'n gwybod ei bod wedi ei siomi.

Y noson honno, cyn mynd i gysgu yn ei stafell wely newydd, meddyliodd Hanna am Steffan Lester. Roedd Steffan unwaith wedi cysgu mewn stafell fel hon. Roedd e wedi rhedeg ar hyd coridorau Plas Hirfryn, ac wedi sibrwd yng nghlust Losin. Swatiodd Hanna o dan ei dwfe a syllu ar y ci, oedd yn sefyll wrth wely Lili, a'i ddau lygad gwydr yn disgleirio yn y mymryn o olau leuad oedd yn sleifio rhwng y llenni.

'Pa gyfrinach ddwedodd Steffan wrthot ti, Losin?' sibrydodd. 'Pam oedd e mor anhapus?'

Ond ddywedodd Losin 'run gair.

15

Hyd yn oed petai e'n gallu siarad, fyddai'r ci ddim wedi cael fawr o gyfle i ddweud gair yn ystod yr wythnos ddilynol. Roedd Lili wedi cymryd ato o ddifri, ac yn mynnu siarad ag e bob munud o'r dydd, heb sôn am bob nos yn ei gwely.

Mam oedd yn mynd â nhw i'r ysgol bob bore ar ei ffordd i'r gwaith. Yn y prynhawn roedden nhw'n dod adre mewn tacsi at Dad. Roedd Dad yn gweithio o wyth o'r gloch y bore tan hanner awr wedi tri, felly erbyn iddyn nhw gyrraedd adre roedd e'n ymlacio, ac yn hymian yn llon wrth baratoi te.

Bob prynhawn roedd Lili'n rhedeg yn syth at Losin, ac yn sibrwd hanes ei diwrnod ysgol i mewn i'w glust ddu. 'Gwnes i lun i ti, ond cha i ddim dod ag e adre eto, achos dwedodd Miss Ellis . . .' Ar ôl te, roedd y ddau'n mynd i eistedd wrth y ffenest ffrynt a Lili'n disgrifio pob aderyn oedd yn hedfan heibio, a phob car oedd yn dod at y plas.

Roedd Harri a Hanna wedi gofyn am gael gwahodd eu ffrindiau draw i'r fflat, ond roedd Mam wedi gwrthod am y tro. 'Arhoswch nes i'r tywydd wella, a nes i ni gael cyfle i orffen dadbacio'n iawn,' meddai. Roedd hi wedi gwahodd Maria, serch hynny, ond roedd Maria wedi dweud ei bod hi'n rhy brysur, er ei bod hi wedi addo rhoi syrpréis iddyn nhw cyn bo hir.

'Mae Este'n dod, siŵr o fod,' meddai Hanna'n falch. Roedd hi'n edrych ymlaen at weld Maria, ac at weld ei ffrindiau hefyd.

Ar y nos Wener daeth Mam-gu ac Wncwl Hef i'w gweld. Rhedodd Lili i gwrdd â nhw ar y landin gyda Losin yn ei dilyn.

Pan welodd Wncwl Hef y ci, neidiodd mewn sioc a gwneud ystum *karate*. 'Mae bwystfil y tu ôl i ti, Lil!' gwaeddodd. 'Cer o'r ffordd i fi gael rhoi crasfa iddo fe!'

'Losin yw e!' giglodd Lili. 'Losin y ci!'

'Ci poeth?' holodd Wncwl Hef dan chwerthin. 'Na!'

'Hei, chi'ch dau,' meddai Mam. 'Calliwch! Bydd Mrs Lester yn eich clywed chi. Mae hi wedi bod yn holi amdanat ti, Hef.'

'O?' Roedd Mam-gu'n sefyll wrth y ffenest. 'Pam mae hi'n gofyn am Hef?' gofynnodd.

'Roedd hi wedi clywed ei fod e'n un o Wylwyr y Glannau,' meddai Mam.

'Ydy hi'n dal i boeni am yr helynt smyglwyr 'na?' gofynnodd Mam-gu'n syn.

'Sdim helynt wedi bod yn ddiweddar, oes e?' gofynnodd Mam.

'Na, diolch byth,' atebodd Mam-gu. 'Dyw Hef ddim wedi cael un o'r galwadau ffug 'na ers cyn yr eira. Er, cofia, fe glywson ni fod yr heddlu wedi galw ym mhob gwesty yn Abergorlan i weld pwy sy'n aros yno, felly mae'n amlwg fod 'na rywbeth yn y gwynt o hyd.'

'Mae'n ddigon tawel fan hyn, ta beth,' meddai Mam. 'Wel, mi *oedd* hi, ta beth.' Edrychodd dros ei ysgwydd ar Lili a Losin, a chwerthin.

Roedd Lili newydd sibrwd yng nghlust Losin, 'Wncwl Hef yw hwnna, ac mae'n e'n sili.'

'Hei! Paid ti â dweud celwydde amdana i wrth y ci,' rhuodd Wncwl Hef.

'Dim celwydde . . . Wncwl Hef!' Sgrechiodd Lili a chwerthin wrth i Wncwl Hef ei thaflu ar y soffa.

Roedd sŵn ei chwerthin yn llenwi'r fflat.

Mae'n fflat ni'n llawn sŵn, meddyliodd Hanna. Gweddill y plas sy'n dawel.

Pan aeth hi i gau'r llenni ychydig yn ddiweddarach, fe welodd gysgod ar gerrig y dreif. Roedd Mrs Lester yn sefyll wrth ei ffenest yn union islaw, ac yn gwrando.

16

Yn gynnar iawn fore trannoeth, deffrodd Hanna'n sydyn gan feddwl ei bod hi wedi clywed ci'n chwyrnu. Neidiodd i fyny ar ei heistedd, a syllu'n ddryslyd ar Losin, ond roedd Losin mor ddistaw ag arfer. Yn stafell ei rhieni, yr ochr draw i'r grisiau, roedd Dad yn chwyrnu'n ysgafn, ysgafn.

Dad ddihunodd fi, meddyliodd Hanna, a llithro'n ôl o dan y dillad. Wnaeth hi ddim edrych drwy'r ffenest. Fyddai hi ddim wedi gweld yr hofrennydd erbyn hynny, beth bynnag. Roedd hwnnw eisoes wedi hedfan i lawr y cwm i gyfeiriad Abergorlan.

Yn ffermdy Tanchwarel, er mai dim ond pump o'r gloch y bore oedd hi, roedd Wncwl Hef yn straffaglu o'r gwely, ac yn estyn am ei ddillad.

Roedd hi'n bwrw glaw mân pan gododd Hanna bron bedair awr yn ddiweddarach. Roedd Harri wedi codi'n barod, ac yn driblo'i bêl ar hyd y landin. Roedd Lili'n sefyll wrth y ffenest ffrynt, yn parablu'n ddiddiwedd â Losin.

'Mae Mrs Lester wedi mynd allan. Mae hi'n gyrru drwy'r gât. Ti'n gallu'i gweld hi, Losin?'

'Wff, wff,' meddai Losin.

'A nawr mae un, dau, tri, pedwar, pump drudwy wedi glanio ar y lawnt.'

'Hm!' Aeth Hanna i'r gegin i gwyno wrth Mam. 'Mae hi fel rhaglen newyddion 'ma,' meddai.

'Wel, o leia mae Lili'n hapus,' meddai Mam. 'A dyw hi ddim yn debyg o dorri unrhyw beth,' ychwanegodd, gan chwyrnu ar Harri oedd newydd gicio'i bêl o dan y ford. 'Mae Dad yn mynd i'r dre ar ôl cinio i brynu hoelion. Gwell i ti fynd gyda fe.'

Ysgydwodd Harri'i ben, a chodi'i fawd ar Hanna. Unwaith y byddai'r glaw yn stopio, roedd y ddau wedi penderfynu mynd am dro go iawn rownd stad Plas Hirfryn. Doedden nhw ddim wedi cael cyfle drwy'r wythnos.

Stopiodd y glaw yn fuan ar ôl cinio, a brysiodd Hanna i nôl dillad cynnes a bŵts o'r cwpwrdd. Roedd Harri'n disgwyl amdani ar y landin. Brysiodd y ddau i lawr y stâr ac i'r cyntedd bach oedd yn arwain at y drws cefn. Agorodd Hanna'r drws a gwichian. Roedd y gwynt fel cyllell yn plicio'i bochau.

'Symud hi,' meddai Harri, a rhoi hwb iddi, nes ei bod bron iawn â disgyn ar ei phen-ôl.

Sbonciodd pêl heibio iddi a sglefrio ar wib ar draws yr iard. Rhedodd Hanna ar ei hôl ac esgus ei chicio dros y wal i gyfeiriad y cyntedd gwydr oedd yn cysylltu'r plas a'r neuadd. 'Bang! Crash! Clec!'

Cipiodd Harri'r bêl o dan ei thraed a'i chicio dros ben y gât gefn. Rhuthrodd y ddau ar ei hôl dros ael y bryn. Er mwyn cael ei gwynt yn ôl, stopiodd Hanna ac edrych i lawr ar Gwm Nant Bwrlwm. Roedd y nant yn troi a throelli fel neidr arian i gyfeiriad Llanaron. Ar y llethrau gyferbyn roedd ffermwr yn bwydo'i ddefaid, a'i feic cwad yn grwnan.

Yn nes ati, yn swatio'n dynn yng nghesail y bryn, roedd tŷ.

'Fan hyn yw Ty'n yr Ardd, tybed?' meddai wrth ei brawd.

'Ie! Dere lawr i weld a yw e'n well na'n fflat ni.'

Rhedodd Harri i lawr y llethr, a Hanna'n dynn wrth ei sodlau. Neidion nhw i'r lôn wrth droed y bryn, a driblodd Harri'r bêl ar ras rownd y tro.

Syllodd y ddau ar y tŷ o'u blaenau. Tŷ cerrig oedd e, tŷ hir wedi'i adeiladu o hen stabl. Roedd y drysau a'r ffenestri'n sgleinio, y to a'r waliau fel newydd, a'r iard o'i flaen yn dwt a glân. Ar dalcen y tŷ roedd pibell gwres canolog, a honno'n gollwng stêm i'r awyr.

'Mae Mrs Lester yn cadw'r tŷ'n gynnes,' meddai Harri. 'Gallen ni symud i mewn.'

'Rhy hwyr,' meddai Hanna. 'Mae rhywun yn symud i mewn yn barod.' Chwarddodd, a phwyntio at y frân oedd newydd ollwng brigyn i lawr y corn simne.

Driblodd Harri'r bêl yn ofalus ar draws yr iard, a'i gadael wrth dalcen y tŷ. Aeth i sbecian drwy ffenest y gegin, i'r chwith o'r drws ffrynt.

'Falle mai tŷ gwraaaaach yw e,' sibrydodd Hanna mewn llais arswydus. 'Bydd hi'n dod rownd y gornel nawr, a gofyn, "Pwy sy'n edrych drwy ffenest fy nhŷ i?"'

'O! 'Co hi!' sgrechiodd Harri.

'Ble?' gwichiodd Hanna mewn braw.

'Fan 'na!' Pwyntiodd Harri ar adlewyrchiad ei chwaer yn y gwydr.

'Hm!' snwffiodd Hanna a mynd i sbecian drwy'r ffenest ar ochr arall y drws ffrynt. Ffenest y stafell fyw oedd honno, stafell fyw glyd a chysurus gyda charped coch ar y llawr, waliau pren, a lle tân agored. Ond doedd dim olion tân yno chwaith. Roedd y cyfan wedi'i sgubo'n hollol, hollol lân.

Symudodd cysgod heibio'r ffenest gefn. 'Harri! Be wyt ti'n wneud?' holodd Hanna gan redeg draw i weld. Dim ond gofod cul oedd rhwng y tŷ a'r bryn, ac roedd Harri'n gorwedd ar draws y gofod hwnnw, ei gefn yn pwyso yn erbyn y bryn, a'i draed ar wal y tŷ. Roedd e'n dringo fel Spiderman.

'Mynd i edrych drwy ffenestri'r llofft, i weld a yw'r stafelloedd yn well na'n rhai ni,' meddai Harri'n drafferthus.

'Alli di ddim! Ti . . .' Tagodd Hanna. Yn sydyn roedd ei brawd yn crynu fel corryn mewn gwe, a'r awyr i gyd yn drybowndio fel petai calon enfawr yn curo rhwng y cymylau. Herciodd y sŵn ar ruthr tuag ati a chwipiodd cysgod mawr dros yr iard. Hofrennydd! Hofrennydd yn hedfan yn isel, isel. Neidiodd Hanna wrth i Harri ddisgyn fel brechdan yn ei hymyl.

Ymhen eiliad roedd Harri wedi codi ar ei draed a rhedodd y ddau i'r iard o flaen y tŷ. Roedd yr hofrennydd yn glanio yn y cae hanner can metr i ffwrdd. Chwyrlïai'r dail crin drwy'r

awyr. Chwythai'r llwch i'w llygaid, a chyn iddyn nhw allu rhwbio'r dagrau i ffwrdd, bloeddiodd llais croch: *'Stay where you are! Don't move!'*

Roedd pedwar dyn mewn dillad duon wedi neidio allan o'r hofrennydd ac yn rhuthro tuag at yr efeilliaid, yn carlamu ar draws Nant Bwrlwm ac yn anelu at Dŷ'n yr Ardd.

'*Don't worry!*' galwodd yr arweinydd ar Harri a Hanna. '*We won't harm you.*'

Teimlodd Hanna law Harri'n gwasgu'i llaw hi. Roedd y ddau'n rhy syn i allu dweud gair.

Roedd tri o'r dynion erbyn hyn yn cripian tuag at y tŷ, ond daeth eu harweinydd at Harri a Hanna â gwên ofalus ar ei wyneb. '*Do you speak English?*' gofynnodd.

'*Yes,*' meddai'r ddau.

'*Where are your Mum and Dad? Don't worry. We're not going to harm you. We're here to help.*'

Edrychodd Hanna ar Harri. '*Mam's in the house,*' meddai.

'*And your dad?*'

'*He's gone to town,*' meddai Harri.

'*And what's his name?*'

'Alwyn James.'

'Alwyn James?' Syllodd y dyn arno'n syn. Crychodd ei dalcen. 'Chi'n siarad Cymraeg?'

'Ydyn.'

'O!' Suddodd ysgwyddau'r dyn, a galwodd ar ei ffrindiau. '*False alarm*, bois. *False alarm!*'

'Beth?' Roedd y tri dyn arall wedi mynd i archwilio cefn y tŷ. Daeth tri phen i'r golwg.

'Plant lleol yw'r rhain,' meddai'r arweinydd, a gwenu'n gam. 'Sori, blant. Roedden ni'n meddwl bod y tŷ 'ma'n wag, a phan welon ni ddau yn cripian o gwmpas y lle, roedden ni'n meddwl falle mai . . . falle mai lladron o'ch chi. Chi'n byw 'ma 'te?'

'Ry'n ni . . .' Cyn i Hanna allu dweud gair ymhellach, sgrialodd Mercedes du ar hyd y lôn, a brecio'n chwyrn ar yr iard.

'Be sy'n bod?' galwodd Mrs Lester drwy'r ffenest. 'Rhywun wedi cael dolur?'

'Na.' Brysiodd y dyn at y car. Pwysodd drwy'r ffenest a siarad yn dawel â hi. Er na allen nhw glywed gair o'r sgwrs, welodd Harri a Hanna lygaid Mrs Lester yn edrych arnyn nhw.

Caeodd drws y Mercedes yn glep ac anelodd Mrs Lester at ddrws ffrynt y tŷ.

'Os 'ych chi eisiau gweld y tu mewn i'r tŷ, mae gen i allwedd,' meddai'n swta, a phlymio'i llaw i'r bag oedd yn hongian dros ei hysgwydd. Gwthiodd yr allwedd i dwll y clo. 'Arhoswch funud i fi gael datgysylltu'r system larwm.'

'Ble yn union 'ych chi'n byw 'te?' gofynnodd yr arweinydd yn gyfeillgar.

'Plas Hirfryn,' atebodd Harri.

'O?' Cododd y dyn ei aeliau unwaith eto. 'Chi'n perthyn i Mrs Lester?'

'Mae eu tad yn gweithio i fi,' atebodd llais llym

o'r drws. 'Dydyn nhw ddim yn perthyn. Ddim yn perthyn o gwbl.'

A'i llygaid yn melltennu, hysiodd Mrs Lester y tri dyn arall i mewn i'r tŷ. Tra oedden nhw'n archwilio'r stafelloedd, daeth hithau draw i sefyll yn ymyl yr efeilliaid.

'Ddrwg gen i am eich poeni chi, Mrs Lester,' meddai'r arweinydd. 'Ond allwn ni ddim bod yn rhy ofalus.'

'Dw i wedi dweud wrthoch chi droeon,' meddai Mrs Lester. 'Mae gen i larymau ym mhobman. Does neb yn mynd i dorri i mewn i Blas Hirfryn nac i'r tŷ hwn chwaith.'

Nodiodd at Harri a Hanna a phwyntio at y Mercedes. Cerddodd y ddau fel llygod bach a dringo i mewn i gefn y car. Roedd Harri wedi gadael ei bêl wrth dalcen y tŷ, ond feiddiai e ddim mynd i'w nôl. Roedd Mrs Lester yn edrych yn ffrwydrol.

Daeth y dynion allan o Dŷ'n yr Ardd.

'Mae'r lle'n wag,' galwodd un.

'Mae'n ddrwg 'da ni,' meddai'r arweinydd wrth Mrs Lester. 'Ond mae'n rhaid i ni tsiecio popeth.'

'Ond does dim rhaid i chi wneud hynny dro ar ôl tro ar ôl tro,' meddai Mrs Lester yn sych. 'Os

115

bydd rhywbeth o'i le, fe fydda i'n siŵr o gysylltu
â chi.'

Nodiodd y dyn a thaflu edrychiad craff i
gyfeiriad Harri a Hanna. Yna, gyda Mrs Lester
yn eu edrych yn chwyrn arnyn nhw, trodd y
dynion ac anelu ar draws yr iard. Wedi iddyn
nhw ddringo dros y ffens, aeth Mrs Lester at y tŷ.
Diflannodd am rai eiliadau, cyn cau'r drws yn
glep y tu ôl iddi a'i gloi.

Wrth iddi droi at y car, sylwodd Hanna fod ei
chefn wedi crymu, ac roedd craciau yn y powdwr
ar ei hwyneb. Dringodd i'r Mercedes ac eistedd
yn llonydd heb ddweud gair, ei llygaid wedi'u
hoelio ar yr hofrennydd. O'r diwedd, ar ôl i'r
peiriant godi i'r awyr, taniodd Mrs Lester injan
y car a'i droi mewn hanner cylch. Gyrrodd yn
ofalus i fyny'r rhiw.

Yn y sedd gefn eisteddai Hanna a Harri fel
delwau. Newydd gyrraedd y lôn gefn oedden
nhw, a Hanna'n disgwyl i'r car stopio, pan
welodd hi Mrs Lester yn syllu arni yn y drych
gyrru.

'Pam oeddech chi'ch dau yn Nhŷ'n yr Ardd?'
gofynnodd.

'Dim ond chwarae oedden ni,' meddai Hanna.

'Chwarae?' Gyrrodd Mrs Lester yn ei blaen ac

116

aros o flaen Plas Hirfryn. Trodd i edrych arnyn nhw. Cochodd y ddau, ond dywedodd hi 'run gair arall, dim ond nodio at y drysau.

Wrth i Hanna agor ei drws hi, daeth fflach o olau o stafell fyw Plas Hirfryn. Golau'n tasgu oddi ar ffrâm arian, a'r bachgen bach diflas yn y llun.

17

'Roedd y dynion eisiau gwbod pwy oedden ni. Gofynnon nhw a oedden ni'n perthyn i Mrs Lester.' Harri oedd yn dweud y stori. Yn rhyfedd iawn, doedd Mam a Lili ddim wedi sylwi ar yr hofrennydd.

Agorodd llygaid Mam fel soseri wrth wrando ar yr hanes. 'Gawsoch chi fraw?' gofynnodd yn bryderus.

'Naddo. Roedd e'n gyffrous!' atebodd Harri. Roedd ar dân eisiau ffonio Liam a Dion i ddweud y cyfan wrthyn nhw.

'Na,' meddai Hanna. Roedd yn haws dweud 'na'. Nid yr hofrennydd oedd yn ei phoeni, ond rhywbeth arall na allai hi mo'i ddisgrifio. Rhywbeth yn ymwneud â'r bachgen bach trist. 'Mam,' meddai. 'Ble mae Steffan Lester?'

'Steffan Lester?' Craffodd Mam arni'n syn. 'Pam wyt ti'n holi amdano fe?'

Cyn i Hanna ateb, daeth clec o gyfeiriad y grisiau, ac yna sŵn traed yn dringo ar frys.

'Caren!' Rhuthrodd Dad i mewn i'r stafell fyw. ''Ych chi i gyd yn iawn?' gofynnodd a'i wynt yn ei ddwrn. 'Dw i newydd weld hofrennydd.'

'Mae pawb yn iawn,' meddai Mam yn dawel. 'Ond mae gan Harri a Hanna rywbeth i'w ddweud wrthot ti.'

Tynnodd Harri anadl awchus, a byrlymodd y stori drwy'r stafell am yr eildro.

'A nawr,' meddai Mam, gan edrych yn awgrymog ar Dad, 'mae Hanna'n holi am Steffan Lester.'

'Pam?' meddai Dad, a'i ben yn troi fel ceiliog y gwynt.

'Wel . . . dim ond achos bod y dynion wedi gofyn a oedden ni'n perthyn i Mrs Lester,' atebodd. 'Os felly, bydden ni'n perthyn i Steffan hefyd.'

'Does dim plant gan Steffan,' meddai Dad, 'ac mae e'n gweithio dramor, fel dw i'n deall.'

'Oes 'na ryw reswm arall pam wyt ti'n holi amdano fe?' gofynnodd Mam.

'Achos y llun lawr stâr yn y ffrâm arian. Pam mae hi'n cadw llun mor ddiflas ohono fe?'

Edrychodd Mam a Dad ar ei gilydd unwaith eto.

'Mae sôn ei fod e a'i fam wedi cweryla,' cyfaddefodd Mam o'r diwedd.

'Pan oedd e'n fachgen bach?' meddai Hanna'n syn.

'Pan oedd e'n ddyn.' Taflodd Dad edrychiad i gyfeiriad Lili rhag ofn ei bod hi'n gwrando. 'Doedd e a'i rieni ddim yn cytuno,' sibrydodd yn gyflym. 'Roedd Mr Lester yn fanciwr cyfoethog, ond pan oedd Steffan yn y coleg fe gafodd e 'i arestio am dorri i mewn i fanc, a phrotestio yn erbyn bancwyr.'

'Felly mae e yn y carchar?' meddai Harri a'i lygaid yn disgleirio.

'Nac ydy siŵr!' meddai Dad yn grac. 'Mae e'n gweithio dramor, fel dwedais i.'

Ond, er y protestio, dechreuodd Dad grafu'i ben, fel roedd e wastad yn ei wneud pan oedd e'n poeni am rywbeth. 'Falle dylen ni fynd i gael gair â Mrs Lester am be ddigwyddodd,' meddai wrth Mam.

'Dw i'n mynd i ffonio Liam.' Dihangodd Harri cyn i neb ei stopio, a chyn pen dim roedd sŵn ei lais cyffrous yn atsain o'r stafell wely.

Ychydig funudau'n ddiweddarach, daeth cnoc gofalus ar y drws mewnol. Dim ond Hanna glywodd, a rhuthrodd i agor y drws i Mrs Lester.

'Mae Mam a Dad ar y ffordd i'ch gweld chi,'

meddai'n frysiog, cyn i Mrs Lester gael cyfle i gamu heibio iddi.

Ar y gair, canodd cloch drws Plas Hirfryn. Trodd Mrs Lester ar ei hunion a brysio at y stâr. Clywodd Hanna'r drws yn agor, ei mam a'i thad yn camu i mewn i'r cyntedd islaw, sŵn eu traed yn croesi'r llawr pren ac yna'n suddo i garped y stafell fyw. Caeodd y drws ar eu holau.

Am foment arhosodd Hanna yn ei hunfan, a syllu ar hyd landin Plas Hirfryn. Yna'n dawel bach, cripiodd yn ei blaen a mentro i ben y grisiau. Bob cam i fyny'r stâr, ar y waliau disglair, roedd hen luniau o bobl, a lluniau o Blas Hirfryn. Yn y cyntedd islaw tywynnai'r haul ar lun o Mr a Mrs Lester ar ddydd eu priodas, a llun o Mr Lester mewn het silc gyda medal yn ei law. Ond doedd dim un llun o Steffan wedi iddo dyfu'n ddyn. Roedd Steffan Lester wedi aros am byth yn fachgen anhapus, wyth oed, yn y stafell fyw.

O'r stafell honno daeth clec sydyn, a brysiodd Hanna'n ôl i'r fflat. Clodd y drws ar ei hochr hi, cau'r bolltau, a dianc i'r stafell wely at Lili.

Pan ruthrodd ei chwaer i mewn, neidiodd Lili a gweiddi, 'Na!'

'Be ti wedi'i wneud, Lil?' gofynnodd Hanna.

'Dim!' meddai Lili a thrio symud rhyngddi hi a Losin.

Craffodd Hanna ar y ci. Roedd ei glust frown yn hongian yn gam.

'Wnes i mo'i thorri hi!' protestiodd Lili.

'Dim ots,' meddai Hanna. 'Gall Mam ei thrwsio hi, ta beth.'

Llonnodd Lili ar unwaith. Edrychodd ar Hanna a'i llygaid yn disgleirio. 'Mae rhywbeth i mewn yn y glust,' sibrydodd, gan blygu'r glust yn ôl ar ben Losin. Roedd y pwythau oedd yn cydio'r glust wrth y pen wedi dechrau datod, a chynffon o bapur yn gwthio allan.

'Stwffin yw e, siŵr o fod,' meddai Hanna, ond roedd Lili wedi gwthio'i bysedd i mewn a dechrau twrio. Rhwygodd y pwythau, a thynnodd Lili ddarn o bapur sgrifennu o'r glust. Agorodd y papur, edrych arno'n gyflym a'i estyn i Hanna.

Roedd pedwar gair ar y papur mewn sgrifen plentyn.

'*Dw i ddim ishe mynd,*' darllenodd Hanna.

'Dim ishe mynd?' meddai Lili, a thaflu'i breichiau am Losin. 'Does dim rhaid i ti fynd, Losin bach. Fe gei di aros gyda fi.' Rhwbiodd ei thrwyn yn nhrwyn y ci, heb sylwi ar y papur yn crynu yn llaw ei chwaer.

Y bachgen bach yn y ffrâm arian oedd wedi anfon y neges. Fe oedd wedi sgrifennu'r geiriau. Roedd e angen help. Ac at bwy oedd e wedi troi?

At Losin y ci.

18

Plyciodd Lili'r papur o law Hanna a dechrau ei wthio'n ôl i glust y ci.

Cyrhaeddodd Mam a Dad yn ôl yn y fflat ond roedden nhw mor dawel, chlywodd Hanna a Lili ddim smic nes iddyn nhw ymddangos yn nrws y stafell wely. Roedd gwên fach dynn ar eu hwynebau.

Syllodd Mam a Dad ar Losin.

'Wnes i ddim torri'r glust!' llefodd Lili, wedi dychryn eto.

'Naddo siŵr.' Disgynnodd Mam ar y gwely yn ymyl y ci.

'Dim ond wedi datod mae hi,' meddai Lili. 'Gelli di ei gwnïo hi'n ôl. Neu gall Maria wneud.'

'Maria?' Trodd Mam ei phen yn sydyn. 'Pam Maria?'

Roedd ei llais mor siarp, dechreuodd Lili grynu a gwthio'i bawd i'w cheg.

'Sh,' meddai Dad, ac ysgwyd ei ben i dawelu Mam.

Edrychodd Hanna o un i'r llall. Estynnodd Dad ei law i Lili. 'Dere i weld be sy gyda fi, Lil. Dere i weld be brynes i yn y dre.'

Rhedodd Lili at Dad. Aeth y ddau ar hyd y landin, a chyn bo hir roedd Lili'n gwichian yn hapus wrth rwygo anrheg oddi ar y comic roedd Dad wedi'i brynu iddi.

Roedd Mam yn dal i eistedd ar y gwely.

'Be sy'n bod, Mam?' Eisteddodd Hanna yn ei hymyl. 'Be ddwedodd Mrs Lester?'

'Dweud ei bod hi'n poeni am Steffan,' atebodd Mam mewn llais isel.

'Steffan?' meddai Hanna mewn braw.

'Ie. Mae'r heddlu wedi bod yn holi amdano sawl gwaith yn ystod y misoedd diwetha,' meddai Mam. 'A does ganddi hi ddim syniad ble mae e. Dyw hi ddim wedi'i weld e ers iddyn nhw gweryla dair blynedd yn ôl.'

'Felly fe alle fe fod yn yr ardal yma?'

'Galle.'

'Ac mae'r plismyn yn chwilio amdano fe?'

'Ydyn. Maen nhw'n meddwl ei fod e'n un o'r smyglwyr, ond mae Mrs Lester yn hollol siŵr na fyddai Steffan byth bythoedd yn gwneud y fath beth. Mae hi'n meddwl bod rhywun yn trio rhoi bai ar gam arno fe.'

'Pwy?' gofynnodd Hanna.

Atebodd Mam ddim.

'Pwy?' gofynnodd Hanna eto, a rhoi ysgytwad bach iddi.

'Maria,' meddai Mam, gyda golwg druenus ar ei hwyneb. 'Mae hi'n amau Maria.'

'BETH?' Doedd yr un o'r ddwy wedi sylwi ar Harri'n sbecian rownd y drws. Ffrwydrodd ei lais drwy'r stafell. 'Pam? Pam mae hi'n amau Maria? Mae hynny'n hollol wallgo!'

'Sh!' plediodd Mam, ond roedd Harri wedi gwylltio gormod i dawelu.

'Pam mae Mrs Lester yn dweud y fath beth? Falle mai hi ei hunan yw'r smyglwr,' protestiodd Harri.

'Sh!' Neidiodd Mam ar ei thraed, a gwasgu'i fraich yn dynn. 'Mae hi'n amau Maria,' meddai, 'o achos clust Losin.'

'Clust Losin?' llefodd Harri'n anghrediniol.

'Ie,' meddai Mam. 'Ti'n gweld, y peth olaf ddwedodd Steffan wrth ei fam ar ôl iddyn nhw gweryla oedd, "Chi byth yn gwrando arna i. Dydych chi erioed wedi. Mae Losin yn gwrando'n well na chi, a dw i ddim yn mynd i ddod yn ôl nes eich bod chi'n gwrando cystal â fe." Wedyn fe rwygodd e glust y ci i ffwrdd, ei rhoi yn ei boced a diflannu.'

126

'Felly mae'r glust gan Steffan!' meddai Harri. 'Nid bai Maria yw hynny.'

Atebodd neb. Roedd Hanna'n cofio am ddigwyddiadau Nos Galan yn Rhif 3. Llifodd y gwres i'w bochau.

'Ond os 'ych chi'n cofio,' meddai Mam yn flinedig, 'y tro cynta y gwelodd Lili Losin, fe ddwedodd hi wrth Mrs Lester fod ei glust e gan Maria.'

'Lili!' wfftiodd Harri. 'Babi yw Lili.'

'Na.' Roedd llais Hanna'n crynu. 'Mae Lili'n iawn. Roedd Lili'n chwarae gyda bag Maria Nos Galan, ac fe dynnodd hi'r glust allan.'

'Be?' Syllodd Harri ar ei chwaer, a dychryn wrth weld ei hwyneb coch. 'Ond wnest ti erioed sôn am y peth!'

'Do'n i ddim yn sylweddoli arwyddocâd y peth tan nawr. O'n i'n meddwl mai sach fach oedd hi. Ond y glust oedd hi! Triodd Maria'i chuddio.'

'O!' Suddodd Harri ar y gwely fel swigen wedi byrstio.

'Os yw'r glust gan Maria,' meddai Mam yn dawel, dawel, 'mae hynny'n profi ei bod hi wedi cwrdd â Steffan rywsut neu'i gilydd.'

'Ond fyddai Maria byth yn gwneud drwg i

127

neb,' plediodd Hanna. 'Fyddai hi ddim! Wnest ti ddweud hynny wrth Mrs Lester, Mam?'

'Do,' meddai Mam. 'Ond bryd hynny do'n i ddim yn gwbod am y glust. Rhaid i fi fynd yn ôl i ddweud wrthi. Dyw hynny ddim ond yn deg.'

Cododd Mam, a brysio at Dad. Tra oedd y ddau'n dal i drafod, fe ganodd y ffôn. Cipiodd

Mam e, a chlywodd pawb lais Wncwl Hef yn bloeddio i lawr y lein. 'Caren! Dw i y tu allan i stesion Abergorlan. A dyfala pwy sy gyda fi.'

'Pwy?' meddai Mam yn swta. Doedd hi ddim mewn hwyl i ddyfalu.

'Maria ac Este!' gwaeddodd Wncwl Hef yn llon.

'Este?' Taflodd Mam olwg wyllt ar Dad.

'Mae e wedi cyrraedd ac maen nhw'n mynd i 'nilyn i i Rif 3.'

'Be?'

'Ry'n ni ar ein ffordd i Rif 3! Golcha dy glustiau, ferch. Dwedest ti fod Maria ac Este yn cael aros yno, yn do?'

'Do, ond . . .'

'Wela i di fan 'na. Hwyl!'

'Hef!'

Roedd Wncwl Hef wedi mynd, a Mam yn anadlu'n gyflym, fel petai wedi rhedeg ras.

'Este, dyna ddwedodd e,' meddai Mam a'i llais yn fain.

'Camgymeriad,' meddai Dad.

'Ond mae'n swnio mor debyg i Lester. Be sy'n digwydd?'

'Cer at Mrs Lester, glou,' meddai Dad.

Ond roedd Mam yn petruso. 'Bydd hi'n

ffonio'r heddlu,' meddai. 'Falle ei bod hi wedi gwneud hynny'n barod. Falle dylwn i siarad â Maria gynta. Mae hi wedi bod yn ffrind da i ni, Al.'

'Ydy hi?' meddai Dad yn sych. 'Dwyt ti ddim mynd yno ar dy ben dy hun, ta beth.'

'Bydd Hef 'na.'

'Dw i'n dod gyda ti.'

Gwibiodd llygaid Mam i gyfeiriad Lili. 'Pum munud,' meddai wrth Dad. 'Pum munud a dim eiliad arall. Gofalwch chi am eich gilydd,' ychwanegodd wrth y plant. 'Mae Mrs Lester lawr stâr. Curwch ar y drws a galw arni hi os bydd rhywbeth o'i le. Ychydig funudau fyddwn ni. Iawn?'

Nodiodd Harri a Hanna. Roedd Lili'n swatio ar y llawr ac yn gwylio pawb, ei braich yn dynn am Losin.

'Wyt ti'n mynd i moyn y glust?' gofynnodd mewn llais bach piwis.

'Falle.'

Gwenodd Mam yn gyflym a mynd i nôl ei chôt. Cyn pen dim roedd hi a Dad yn diflannu i lawr y stâr ac injan y car glas yn tanio. Safodd Harri a Hanna wrth y ffenest a gwylio'r car yn gyrru drwy gatiau Plas Hirfryn.

19

Dau wyneb yn y ffenest. Dau wyneb mor ddiflas ag wyneb y bachgen yn y llun. Ac islaw ar y dreif roedd cysgod yn gwingo'n aflonydd. Roedd Mrs Lester yn sefyll yn ffenest stafell fyw Plas Hirfryn.

Trodd Harri ar ei sawdl a brysio i lawr y landin i'r stydi fach oedd gyferbyn â'i stafell e. Fan 'na oedd cyfrifiadur y teulu. Arhosodd Hanna wrth y ffenest. Bob tro roedd car yn gyrru ar hyd yr hewl fawr, roedd hi'n dal ei gwynt ac yn gobeithio. Ychydig funudau, dyna ddwedodd Mam, ond roedd pob munud yn teimlo fel awr.

Yn y gegin roedd Lili'n brysur. Roedd hi wedi egluro wrth Losin beth oedd hi'n ei wneud, ac roedd Losin wedi ysgwyd ei gynffon. Roedd gan y ci ddarn o glai siâp trôns yn hongian o'i glust ddu.

Llusgodd Lili gadair ar draws y stafell. Dringodd ar ben y gadair ac oddi yno i'r sinc. Safodd ar flaenau'i thraed ac estyn at dop y ffenest. Roedd Mam bob amser yn gadael y ffenest yn gilagored er mwyn cael awyr iach i'r gegin. Drwy'r bwlch gwthiodd Lili ddarn o glai a neges yn sownd wrtho.

Syrthiodd y clai heibio i ffenest Mrs Lester. O fewn ychydig eiliadau roedd drws ffrynt Plas Hirfryn yn agor. Gwenodd Lili'n fodlon a dechrau disgyn yn reit handi. Glaniodd ar ei

phen-ôl ar y sinc, taro yn erbyn yr hylif golchi llestri a'r bocs-dal-brwsys, ac fe syrthiodd y cyfan dwmbwr-dambar i'r llawr.

'Lili?' Rhuthrodd Hanna i mewn i'r gegin. 'Be yn y byd ti'n wneud?'

'Dim.' Llithrodd Lili dros y gadair, a phlygu i godi'r brwsys.

'Wyt ti wedi taflu rhywbeth mas?' gofynnodd Hanna. Aeth i bwyso dros y sinc a gwasgu'i thrwyn ar y gwydr. Ar y dreif islaw roedd Mrs Lester newydd godi rhywbeth o'r llawr, ac yn edrych lan at y ffenest. 'Be daflest ti?'

'Trôns lwcus,' meddai Lili. 'Rhai pinc, achos doedd dim clai coch gyda fi. Gwnes i rai i Losin hefyd.'

Doedd Hanna ddim yn gwrando. Roedd hi'n sbecian drwy'r ffenest, ac yn gwylio Mrs Lester yn amneidio arni.

'Mae Mrs Lester ishe i fi agor y drws iddi,' meddai, a phrysuro ar hyd y landin.

Roedd hi wedi agor y drws cyn i Mrs Lester gyrraedd top y stâr.

Roedd y darn clai yn llaw Mrs Lester. Doedd e'n ddim byd tebyg i drôns ar y gorau, ac ar ôl cwympo o'r ffenest roedd e'n edrych yn debycach i lwmpyn di-siâp o glai bawlyd.

'Sori,' meddai Hanna. 'Lili sy wedi bod yn gwneud . . .'

'Trôns,' meddai llais y tu ôl iddi. Roedd Lili wedi'i dilyn hi ar hyd y landin.

'Trôns?' meddai Mrs Lester yn ddryslyd, ac ailddarllen y darn papur oedd yn sownd wrthyn nhw. Ar draws y top mewn sgrifen flêr roedd y geiriau:

i Misys Lesdy

'Anrheg lwcus yw e,' meddai Hanna, a theimlo'i thu mewn yn simsanu.

Roedd Lili'n parablu ar ei thraws, 'Mae Maria wedi dod â thrôns i ni, ac mae Mam wedi mynd i nôl clust Losin gan Maria.'

'Clust Losin?' Hoeliodd Mrs Lester ei llygaid ar Hanna.

'Sh, Lili!' mwmiodd Hanna. 'Dy'n ni ddim yn siŵr . . .'

Ond roedd Lili'n berffaith siŵr. Roedd hi'n nodio'n wybodus.

'A ble mae Mam wedi mynd i gwrdd â Maria?' gofynnodd Mrs Lester a'i llais yn beryglus o finiog. 'I'r Afallen?'

'Tŷ ni, Rhif 3,' canodd Lili. 'Tŷ ni, Rhif 3.'

'Felly mae clust Losin yn eich tŷ chi?' meddai Mrs Lester 'run mor finiog. 'A'ch mam heb ddweud wrtha i?'

'Newydd fynd mae hi,' meddai Hanna'n ffwndrus. 'Roedd Wncwl Hef wedi gweld Maria yn y stesion. Hi ac Este.'

'Este?' Gafaelodd Mrs Lester yn sydyn yn ei braich. 'Pwy yw Este?' gofynnodd.

'Este yw cariad Maria,' meddai Hanna.

Ar y gair gwaeddodd Harri o ben draw'r landin. Doedd e ddim yn sylweddoli bod Mrs Lester yn y fflat. Rhedodd o'i stafell yn llawn sbonc a chyffro. 'Ti'n gwbod be yw Este?' galwodd. 'Este yw'r enw Sbaeneg am . . .' Tawodd ar unwaith a syllu ar Mrs Lester a'i lygaid fel soseri.

'Am Steffan,' mwmiodd Mrs Lester, a'i hwyneb yn wyn.

20

Am funud neu ddwy roedd y plant ar eu pennau'u hunain ym Mhlas Hirfryn. Dim ond am funud neu ddwy.

Newydd wibio o'r golwg oedd y Mercedes du pan ddaeth car glas Mam a Dad drwy gatiau'r plas. Gwyliodd Hanna'r car glas yn nesáu a dau wyneb gwelw yn syllu i gyfeiriad ffenestri'r fflat. Rhedodd i lawr y stâr i agor y drws iddyn nhw.

'Ble oedd Mrs Lester yn mynd?' galwodd Dad wrth gamu o'r car.

'Dw i'n meddwl falle'i bod hi'n mynd i Rif 3,' meddai Hanna.

'Be?' Trodd Mam i edrych i gyfeiriad Llanaron.

'Mae hi'n gwbod am Maria,' meddai Hanna.

'Ac Este,' galwodd Harri oedd wedi dilyn ei chwaer i lawr y grisiau. 'Este-Steffan.' Gwenodd yn gyffrous. 'Ife Este yw Steffan Lester?'

Edrychodd Mam a Dad arno'n syn, ond atebon nhw ddim chwaith. Roedd Mam wedi tynnu'i ffôn o'i phoced, ac yn gwasgu botymau ar ras. Gwrandawodd ac ysgwyd ei phen.

'Maen nhw ar eu ffordd, siŵr o fod,' meddai.

'Pwy?' gofynnodd Hanna.'

'Maria ac Este.'

'Be ddwedodd Maria wrthot ti?' meddai Harri. 'Dwed wrthon ni glou!'

'Ymddiheuro oedd Maria,' meddai Mam. 'Roedd hi wedi meddwl egluro popeth wrthon ni, ond pan ddaethon ni i fyw i Blas Hirfryn roedd hi'n teimlo na allai hi ddim, achos doedd hi ddim ishe achosi trafferth rhyngon ni a Mrs Lester.'

'Egluro be?' gofynnodd Hanna. 'Ife Steffan yw Este?'

'Ie,' meddai Mam. 'Fe yw cariad Maria. Maen nhw'n bwriadu priodi. Dod draw i Gymru i drio setlo'r cweryl rhwng Steffan a'i fam cyn y briodas wnaeth Maria. Doedd hi ddim ond wedi meddwl aros am ychydig ddyddie, ond pan gyrhaeddodd hi yma doedd Mrs Lester ddim gartre. Wedyn ar noson y cyngerdd Nadolig fe ddigwyddodd hi glywed rhywrai'n dweud pethau cas am Steffan wrth gât yr ysgol.'

'Tad Ieuan a thad Hayley!' meddai Hanna, gan gofio.

'Doedd Maria ddim yn deall beth oedd yn digwydd. Roedd hi wedi gweld cip o Mrs Lester yn y cyngerdd, ac yn meddwl ei bod hi'n berson dymunol iawn. Ar yr un pryd, roedd hi'n amau falle mai Mrs Lester ei hun oedd yn trio gwneud drwg i Steffan drwy ddweud celwydd amdano. Ta beth, fe benderfynodd hi aros yma, a pherswadio Steffan i ddod draw i Gymru cyn gynted ag y gallai. Heddi laniodd e yn Heathrow.'

'Waw!' Chwibanodd Harri.

'Mae hi ac Este ar eu ffordd draw,' meddai Dad, 'ac fe gawn ni glywed gweddill y stori wedi iddyn nhw gyrraedd.'

'Stori?' Edrychodd Hanna dros ei hysgwydd ar yr hen neuadd yn cochi yng ngolau'r machlud haul. Roedd Blwyddyn 6 wedi sgrifennu sawl stori ffug am Blas Hirfryn. Gobeithio bod hon yn stori wir, meddyliodd, wrth i gnoc ffyrnig ysgwyd ffenest ei stafell wely.

Yn y ffenest safai Lili, a'i thrwyn wedi'i wasgu yn erbyn y gwydr.

'Clust Losin!' gwaeddodd. 'Clust Losin!'

'Dewch.' Brysiodd Mam at y grisiau. 'Bydd Maria'n dod â chlust Losin nawr, bach,' galwodd.

'Wir?' meddai Lili, a rhedeg i gwrdd â hi.

'Wir!' galwodd Harri. 'Mae hi'n dod nawr.'

Aeth pawb at y ffenest, a gweld car gwyrdd yn troi i mewn drwy'r gât, gyda'r Mercedes yn dilyn yn dynn wrth ei gwt. Ond dair milltir i ffwrdd, ym mhentre Llanaron, roedd golau glas yn sleifio ar ras tuag at Blas Hirfryn.

Stopiodd y Mercedes a'r Toyota gwyrdd o flaen y plas.

'Maria!' galwodd Lili a churo'r ffenest.

Chlywodd Maria ddim. Roedd hi a dyn ifanc gwallt golau wedi camu o'r Toyota, ac yn troi i gyfarch Mrs Lester, oedd newydd agor drws ei Mercedes. Roedd gwên lydan ar wynebau'r tri.

Diflannodd pob gwên wrth i seiren rwygo'r awyr. Anelodd Mrs Lester am ddrws y plas, ond prin oedd y drws wedi agor cyn i gar heddlu droi drwy'r gatiau mawr.

'Mam!' meddai Lili. 'Pam dyw Mrs Lester ddim yn mynd i guddio yn y simne? Fydd neb yn gallu'i ffeindio hi wedyn.'

'O, Lil!' Gwenodd Mam yn drist a'i gwasgu'n dynn. 'Drama oedd honno,' meddai. 'Does dim rhaid i Mrs Lester guddio o gwbl. Cer i weld beth mae Losin yn ei wneud. Cer i ddweud stori wrtho fe.'

'Losin!' Rhedodd Lili i'r stafell wely.

Welodd hi mo'r car heddlu'n stopio y tu ôl i gar Maria, a dau blismon yn neidio allan ac yn brasgamu tuag at y tri pherson oedd yn sefyll yn glwstwr ar garreg drws y plas. Chlywodd hi mo un o'r plismyn yn dweud, 'Steffan Lester, mae gyda ni warant i'ch arestio,' na Maria'n llefain, 'Na! Mae 'na gamgymeriad. Edrychwch. Edrychwch ar y cyfeiriad ar y llythyr 'ma!'

'Dewch gyda ni'n dawel,' meddai'r plismon. 'Neu fe ro i'r cyffion amdanoch chi.'

Ciliodd Mam a Dad o'r ffenest, a llusgo'r efeilliaid gyda nhw, wrth i'r plismyn arwain Steffan Lester at y car. Cae y drws a thaniwyd yr injan.

Yn syth bìn taniodd injan arall, a mynnodd Harri sbecian.

'Mae Mrs Lester a Maria yn y Mercedes,' sibrydodd. 'Maen nhw'n dilyn y car arall.'

Closiodd pawb arall at y ffenest, a gwylio'r ddau gar yn gyrru drwy gatiau Plas Hirfryn ac yn diflannu i gyfeiriad Llanaron.

'Be sy'n mynd i ddigwydd, Dad?' gofynnodd Harri.

Dim ond ysgwyd ei ben wnaeth Dad.

21

Yn y stafell wely roedd Lili'n brysur. Roedd hi wedi rhoi tri darn o glai pinc ar sil y ffenest, a'u gwasgu'n fflat â'i dwrn. Nawr roedd hi'n torri o amgylch pob un â chyllell blastig.

'Be wyt ti'n wneud, Lil?' gofynnodd Hanna. Roedd Mam wedi dweud wrthi am fynd i nôl Lili, achos roedd Dad eisiau mynd â'r plant draw i dŷ Mam-gu ar unwaith.

'Trôns,' meddai Lili.

'I bwy?'

'Maria, Este a Mrs Lester.' Edrychodd Lili dros ei hysgwydd. 'A ti sydd i fod i fynd â nhw.' Cododd y tri phâr, un ar ôl y llall, â llafn y gyllell, a'u rhoi yn llaw Hanna. 'Maen nhw'n lwcus.'

Gwenodd Hanna'n grynedig. Roedd Lili wedi deall bod rhywbeth mawr o'i le ac yn trio helpu yn ei ffordd ei hun.

'Cer â nhw!' meddai Lili.

Yn y stafell fyw roedd Harri'n gweiddi, 'Mae rhagor o geir heddlu'n dod! Dad! Dad!'

'Alla i ddim mynd nawr,' meddai Hanna. 'Nes ymlaen.'

'Na!' Roedd Lili'n ypsetio, a'i llais yn codi. 'Nawr! Nawr!' Rhoddodd hwb i Hanna a'i gwthio tuag at ben pella'r landin.

Rhoddodd Hanna'i llaw ar ddolen y drws mewnol. Doedd Mrs Lester ddim wedi cau'r bolltau, ac agorodd ar unwaith. Edrychodd Hanna dros ei hysgwydd. Roedd Lili'n ei gwylio. Ond doedd Lili ddim yn deall. Roedd pawb oedd angen lwc wedi cael eu cipio gan yr heddlu.

Pawb ond un!

Daliodd Hanna'i gwynt, sleifio drwy'r drws, ac anelu am risiau mawr Plas Hirfryn. Islaw roedd llythyr Maria'n gorwedd ar bren y llawr. Rhedodd Hanna i lawr y grisiau, rhedeg heibio'r llythyr ac i mewn i'r stafell fyw. Gollyngodd y trôns yn ymyl llun Steffan Lester yn ei ffrâm cyn troi a dianc.

Cyn iddi gyrraedd y drws, clywodd sgrech y seirenau'n chwyddo. Yn ei phanig llithrodd ar draws y cyntedd, a'r llythyr dan ei throed. Wrth ei rwygo i ffwrdd, gwelodd enw Steffan Lester, ac un gair mewn print bras:

COLOMBIA.

'Hanna!' Roedd Dad yn galw amdani pan gyrhaeddodd hi'n ôl i'r fflat. 'Helpa Lili i ffeindio'i phyjamas,' meddai wrthi.

'Na!' Roedd Lili'n strancio. 'Dw i ddim ishe mynd i dŷ Mam-gu. Dw i'n edrych ar ôl Losin.'

'Lili!' plediodd Dad. Roedd Mam wedi cynnau'r golau a chau'r llenni, ond roedd hi'n amhosib cuddio twrw'r ceir oedd yn stopio y tu allan i'r plas. Cyn pen dim, roedd yr adeilad ei hun, oedd fel arfer mor dawel, yn llawn sŵn a symud.

'Maen nhw yn y cefn hefyd!' meddai Harri. 'Maen nhw'n mynd i'r neuadd!'

Aeth Hanna at ffenest ei stafell wely. Roedd yr haul ar fin suddo dros y gorwel, ond roedd y cyntedd gwydr oedd yn cysylltu'r plas â'r hen neuadd yn disgleirio fel llong ofod, a rhes o ddynion mewn dillad duon yn rhuthro drwyddo.

Teimlodd Hanna gryndod yn ei bol. Roedd stori Plas Hirfryn yn dod yn wir, ond nid fel roedd Blwyddyn 6 wedi'i hactio chwaith. Yn nrama Blwyddyn 6, doedd milwyr y frenhines yn gwybod dim am y twll offeiriad yn y wal. Ond nawr roedd pawb yn gwybod. Pam oedden nhw'n dal i chwilio, os oedd Steffan yn y ddalfa?

Tra oedd hi'n dal i wylio, fe glywodd glec ym mhen draw'r landin, a byrstiodd dau berson i

mewn i'r fflat. Safodd y ddau'n stond wrth weld
merch fach a chi enfawr yn sefyll o'u blaenau.
Stampiodd Lili'i throed a gwgu arnyn nhw.

'Chi yw garddwr Mrs Lester?' gofynnodd un o'r plismyn, pan ddaeth Dad i'r golwg.

'Ie.'

'Newydd symud i mewn 'ych chi?'

'Wythnos yn ôl.'

'Iawn. Fe gawn ni air â chi'n nes mlaen. Ddrwg gen i am dorri i mewn.'

'Be sy'n digwydd?' gofynnodd Dad. 'Ble mae Mrs Lester?'

'Allwn ni ddweud dim byd ar hyn o bryd,' meddai'r plismon. 'Caewch chi'r drws ar ein holau ni nawr i chi gael tipyn bach o lonydd. Bydd 'na bobl yn gwarchod y tŷ heno. Iawn?' Caeodd y drws â chlep uchel.

Canodd y ffôn a chododd Mam e'n syth. 'Hef!' llefodd.

Roedd Wncwl Hef yn fwy distaw nag arfer. Tyrrodd pawb ond Lili rownd y ffôn i wrando arno.

'Sori, bois bach,' meddai Wncwl Hef. 'Dw i wedi'ch landio chi yn ei chanol hi, on'd ydw i? Digwydd gweld Maria ac Este o flaen stesion Abergorlan wnes i. Doedd gen i ddim syniad ar y pryd mai Este oedd Steffan Lester, ond fe gofies i eich bod chi wedi cynnig y tŷ iddyn nhw, ac fe es i â nhw draw.'

'Wyt ti'n gwbod be sy'n digwydd?' gofynnodd Mam.

'Dyw hi ddim yn swnio'n dda,' ochneidiodd Hef. 'Mae sôn bod cysylltiad rhwng Steffan Lester a rhyw foi yng ngharchar Abertawe gafodd ei arestio am smyglo fis Hydref.'

'Maen nhw'n chwilio'r tŷ, Hef.'

'Ie, wel, yn ôl be glywes i, roedd y boi yng ngharchar Abertawe wedi dweud wrth y dyn oedd yn rhannu'i gell ei fod e wedi cuddio rhywbeth yn y simne. Os ca i ragor o wybodaeth, fe ffonia i . . .' Tawodd Wncwl Hef. 'Sori!' meddai. 'Mae'r ffôn arall yn canu. Galwad i Wylwyr y Glannau. Ffonia i eto. Cymerwch ofal!'

Gollyngodd Mam y ffôn. Am foment symudodd hi ddim, a phan gododd ei phen o'r diwedd roedd ei bochau'n goch a'i llygaid yn bŵl. 'Glywsoch chi?'

Nodiodd Dad.

'Mae Steffan wedi bod yng Nghymru ers mis Hydref,' meddai Mam. 'Mae Maria wedi'n twyllo ni'n rhacs.'

'Na!' Rhedodd Hanna ar draws y landin, a thwrio yn nrôr ei desg. Pan aeth hi'n ôl i'r stafell fyw, syllodd Harri arni'n wawdlyd.

'Dwyt ti ddim yn bwriadu gweithio ar dy brosiect nawr, wyt ti?' snwffiodd.

'Nac ydw,' meddai Hanna, ac estyn y llyfr yn ei llaw i Mam a Dad. 'Ond plîs, plîs edrychwch ar y llun ar y clawr, a dwedwch wrtha i ydy Steffan Lester ynddo fe.'

Edrychodd Mam a Dad arni'n syn, yna ar y llun. Craffon nhw ar y ddau ddyn gwallt golau oedd yn sefyll yng nghysgod drws yr ysgol.

'Dere â chwyddwydr, Han!' meddai Mam.

Aeth Hanna i'r stydi. Estyn am y chwyddwydr oedd hi pan sylwodd hi ar olau coch yn diflannu dros ael y bryn. Gwrandawodd am foment. Er gwaetha'r sŵn yn y plas, fe glywodd hi gryndod yn yr awyr. Distawodd y cryndod yn sydyn. Roedd hofrennydd yn glanio unwaith eto yn ymyl Ty'n yr Ardd. Y tŷ sy wedi bod yn wag ers mis Hydref, meddyliodd Hanna.

Rhedodd ias fach drwyddi. Aeth yn ôl i'r stafell fyw ac estyn y chwyddwydr i'w mam.

'Dw i wedi meddwl am rywbeth,' meddai'n araf. 'Mae Ty'n yr Ardd wedi bod yn wag ers mis Hydref. Ym mis Hydref cafodd dyn ei arestio yn Abertawe. Ac mae'n rhaid bod rhywbeth yn sownd yn simne Ty'n yr Ardd, achos fe weles i frân yn gollwng brigau i lawr y simne, ond

148

roedd y lle tân oddi tani yn berffaith, berffaith lân.'

'Be?' Doedd Dad ddim yn deall. Roedd e a Mam a Harri yn canolbwyntio ar lun yr ysgol yng Ngholombia.

'Dw i'n siŵr mai hwnna yw e. Hwnna yw Steffan Lester,' meddai Mam yn gyffrous, gan

149

bwyntio at y talaf o'r dynion gwallt golau. 'Rhaid i ni ddweud wrth y plismyn lawr stâr. Os oedd Steffan yng Ngholombia drwy'r amser, doedd e ddim fan hyn yn smyglo, oedd e?'

'Fe a' i nawr.' Cododd Dad ar ei draed.

'A dwed wrthyn nhw am edrych yn simne Ty'n yr Ardd!' plediodd Hanna wrth i Dad anelu am y stâr.

Brysiodd Hanna at y ffenest gefn gyda Mam a Harri'n dynn wrth ei sodlau. Gwylion nhw Dad yn croesi'r iard ac yn curo ar ddrws y cyntedd gwydr oedd yn cysylltu'r plas a'r neuadd. Daeth dau blismon tuag ato ar ras ac agor y drws.

Cyn pen dim roedd ffôn un o'r plismyn wrth ei glust, a Dad yn brysio'n ôl i'r fflat. Erbyn i Dad ddringo'r stâr a chyrraedd y stafell wely, roedd y ddau blismon wedi rhedeg ar draws yr iard. Allan â nhw drwy'r gât gefn a gwibio fel cysgodion duon i fyny'r bryn i gyfeiriad Ty'n yr Ardd. Diffoddwyd goleuadau'r neuadd a rhedodd dau blismon arall ar eu holau.

Nawr roedd pobman yn dawel, dawel. Doedd dim smic i'w glywed yn unman.

Ochneidiodd Lili'n uchel i dorri'r tawelwch. 'Dw i ddim yn lico drama,' meddai gan dynnu Losin at y landin. 'A dw i ishe bwyd,' meddai'n uwch.

'Dw i'n dod, Lil fach,' meddai Mam, gan edrych ar ei wats. 'Do'n i ddim yn sylweddoli ei bod hi mor hwyr. Dewch, bawb. Allwn ni ddim aros fan hyn drwy'r nos.' Rhoddodd ei dwylo ar ysgwyddau'r efeilliaid a'u llywio i mewn i'r stafell fyw. Dihangodd Harri ar unwaith a phlymio y tu ôl i'r llenni.

Roedd Hanna wedi dilyn Mam i'r gegin, pan ganodd y ffôn. Dad aeth i ateb. Ar ôl gwrando ar Dad yn dweud, 'Iawn, iawn', aeth Hanna at ddrws y gegin, a gwthiodd Harri ei ben drwy'r llenni.

'Arolygydd Harris o Swyddfa'r Heddlu,' meddai Dad, gan drio cadw'i lais yn wastad. 'Mae e'n dweud wrthon ni am beidio â symud o'r fflat. Bydd rhywun yn dod i'n gwarchod.'

'Ein gwarchod?' gwichiodd Hanna. 'Rhag beth?'

'Mae rhagor o geir yn dod!' gwaeddodd Harri.

I lawr y lôn tuag at Blas Hirfryn gwibiai dau gar heddlu a thryc yn eu dilyn. Yn yr awyr uwchben roedd golau coch yn symud tuag atyn nhw.

'Hofrennydd arall!' meddai Harri a'i anadl yn codi'n niwl ar y ffenest. 'Pam mae angen dau? Aw!' Trawodd ei ben yn erbyn y gwydr wrth i'r ffôn ganu eto. Wncwl Hef oedd yno y tro hwn.

''Ych chi'n iawn 'na?' crawciodd Wncwl Hef gan ymladd am ei anadl.

'Ydyn. Pam?' atebodd Dad, gan syllu drwy'r ffenest.

'Newydd glywed ydw i fod 'na ryw hofrennydd wedi glanio yn y cwm yn eich ymyl chi. Peidiwch â mynd yn agos ato, ocê? Does neb yn gwbod o ble mae e wedi dod na phwy sy ynddo fe.'

Roedd car heddlu newydd stopio o flaen y plas. Neidiodd plismon a phlismones allan, a gwneud arwydd eu bod am ddod lan i'r fflat. Pwyntiodd Dad tuag at dalcen y tŷ. Ffarweliodd ag Wncwl Hef a brysio i lawr i agor y drws.

Plismones fochgoch â llygaid direidus oedd y gynta i gyrraedd y landin. 'Nefi blw!' llefodd, pan welodd hi Losin. 'Pwy yw hwn?'

'Losin yw e,' snwffiodd Lili. 'Ac mae e ishe bwyd.'

'Wel, Morwenna ydw i,' meddai'r blismones. 'A dyma Simon.'

'Peidiwch â gofidio dim,' meddai Simon, wrth weld y rhes o wynebau pryderus o'i flaen. 'Mae popeth dan reolaeth. Gyda lwc fe fyddwn ni wedi rhoi stop ar y giamocs 'ma cyn pen chwinc.'

'Beth am i ti a fi fynd i roi bwyd i Losin?' meddai Morwenna wrth Lili.

'Be sy'n digwydd?' gofynnodd Dad wedi iddi fynd o'r stafell. 'Pwy sy yn yr hofrennydd?'

'Wel . . .' Cododd Simon ei aeliau. 'Ry'n ni'n amau mai'r cnafon sy wedi bod yn gwneud galwadau ffug ydyn nhw. Ry'n ni'n amau hefyd eu bod nhw wedi gwneud galwadau ffug, er mwyn i ni gyfarwyddo â gweld hofrenyddion yn hedfan uwchben, fel eu bod nhw'n gallu hedfan eu hofrennydd eu hunain heb dynnu sylw.'

'Pam bydden nhw eisiau gwneud hynny?' gofynnodd Harri.

'Nid er mwyn helpu neb, gelli di fentro,' atebodd Simon, gan droi a syllu ar draws y landin.

Roedd golau'n llifo dros ael y bryn, yn ffrydio drwy ffenest stafell Hanna a Lili. Yn y pellter roedd lleisiau'n tasgu fel tân gwyllt, a chŵn yn cyfarth. Roedd y sŵn yn rhy bell i ddychryn Lili, oedd yn bwyta brechdan gaws yn y gegin, ac yn dweud wrth Morwenna sut i fwydo Losin.

Sleifiodd Harri a Hanna i'r stafell gefn. O'u cwmpas roedd y golau'n gwingo ac yn crynu, yn union fel petai crochan gwrach yn ffrwtian i lawr yn y cwm. Swatiodd y ddau ar y llawr o flaen y ffenest, ac aros nes i'r golau lonyddu.

22

Roedd Morwenna wedi gosod plataid o frechdanau ar y ford, ac yn mynnu bod pawb yn eistedd lawr i'w bwyta.

'Dewch i gael eich bwyd, chi'ch dau!' galwodd ar Harri a Hanna.

Aeth Harri i'r stafell fyw, a chipio brechdan oddi ar y plât, ond yn lle eistedd i lawr yn ymyl Mam a Dad, aeth yn syth at y ffenest ffrynt. Roedd e fel io-io'n sboncio o un ffenest i'r llall. Y peth cynta welodd Hanna wrth gamu i mewn i'r stafell oedd y llenni'n chwyrlïo a wyneb coch ei brawd yn dod i'r golwg. 'Mae rhes o geir wedi stopio ar hyd yr hewl fawr nawr,' crawciodd Harri, gan dagu ar ei frechdan a phoeri briwsion dros y lle.

Aeth Simon i gael sbec. 'Ffotograffwyr,' meddai. 'A phobl y cyfryngau. Gwell i ti symud, glou. Gallan nhw dynnu dy lun di o bell.' Llywiodd e Harri'n ôl o'r ffenest, a chau'r llenni'n dynn.

Ffoniodd Mam-gu i ofyn sut oedd pawb, ac ar ôl i Mam ei sicrhau bod popeth yn iawn, awgrymodd Simon eu bod nhw'n datgysylltu'r ffôn.

'Falle bydd newyddiadurwyr yn eich ffonio chi i holi be sy'n digwydd,' meddai. 'Peidiwch â dweud gair wrthyn nhw eto. Ocê?'

'Sdim lot allwn ni ddweud,' meddai Mam. Roedd hi'n poeni am Mrs Lester, am Maria, ac am Steffan. 'Dy'n ni ddim yn gwbod be sy'n digwydd, 'yn ni?'

Am hanner awr wedi wyth aeth Mam â Lili i'r gwely. Roedd Lili wedi cael hwyl mas draw yng nghwmni Morwenna, ac roedd hi wrth ei bodd pan gynigiodd Morwenna ddweud stori wrthi.

'Os eistedda i yn y tywyllwch, ga i fynd i edrych drwy ffenest fy stafell i?' gofynnodd Harri i Simon.

'Iawn, ond bydd yn ofalus,' atebodd y plismon.

Aeth Hanna gydag e i'w stafell, a sbecian drwy gil y llenni. Yn y pellter roedd yr hewl fawr yn edrych fel prom Abergorlan, gyda rhes o geir wedi parcio ar hyd-ddi, a chysgodion yn gwau rhwng y goleuadau. Roedd cotiau melyn yn sgleinio, ac ambell belydryn o olau'n tasgu oddi ar lensys y camerâu oedd yn pwyntio tuag at Blas

Hirfryn. Roedd y plasty ei hun yn dawel a digynnwrf, er bod plismon yn sefyll ar y dreif.

Crynodd Hanna a swatio'n nes at Harri.

'Dw i'n teimlo fel taswn i yn y twll offeiriad,' sibrydodd. 'Mae popeth yn digwydd tu allan, ond does dim y gallwn ni ei wneud.'

Ar y gair daeth cnoc ysgafn ar ddrws cefn y fflat.

'Gadewch e i fi,' galwodd Simon.

Agorodd y drws, a chau unwaith eto. Clywyd lleisiau'n sibrwd, a dau bâr o draed yn dringo'r stâr. Pan ddaeth wyneb main hirgul i'r golwg rhwng y canllaw, sibrydodd Harri o gornel ei geg, 'Yr arolygydd.'

Cripiodd yr efeilliaid o dywyllwch y stafell wely, a dilyn Simon a'r arolygydd ar hyd y landin.

'Arolygydd Harris,' meddai Simon wrth Mam a Dad, oedd wedi codi ar eu traed. 'Dyma i chi Caren ac Alwyn James, a'r tu ôl i chi mae Harri a Hanna.'

'Dda iawn gen i gwrdd â chi,' meddai'r arolygydd, gan ysgwyd llaw â'r pedwar ohonynt. 'Ry'ch chi wedi gwneud gwaith da heno. Oni bai eich bod chi wedi tynnu sylw'r dynion at yr hofrennydd yn y cwm yn gynharach, a hwythau wedi mynd ar eu hunion i Dy'n yr Ardd, fe fyddai'r cnafon 'na wedi dianc unwaith eto.'

''Ych chi wedi'u dal nhw?' gofynnodd Dad.

'Ydyn, siŵr.' Rhwbiodd yr arolygydd ei ddwylo.

'Ond pwy 'yn nhw?' gofynnodd Mam yn bryderus.

Edrychodd yr arolygydd ar ei hwyneb gofidus. 'Allwn ni ddim dweud ar hyn o bryd,' atebodd, 'ond does dim rhaid i chi boeni o gwbl. Dydw i ddim yn credu eich bod chi'n nabod yr un ohonyn nhw.'

Syllodd Mam i fyw ei lygaid, a lledodd gwên dros ei hwyneb. Neidiodd y wên fel sioncyn y gwair o un wyneb i'r llall, hyd yn oed i wyneb rhychiog yr arolygydd.

'Daw popeth yn glir fory, dw i'n siŵr,' addawodd yr Arolygydd Harris. 'Tan hynny, cysgwch yn dawel, bob un ohonoch chi.'

Aeth Hanna i'r gwely am un ar ddeg. Hanner awr yn ddiweddarach, pan ddaeth Mam i mewn i'w hystafell, roedd hi'n cysgu'n sownd.

'Hanna?' sibrydodd Mam.

Agorodd Hanna'i llygaid a neidio ar ei heistedd.

'Sori,' meddai Mam gan wenu. 'Do'n i ddim wedi bwriadu rhoi sioc i ti, ond ro'n i'n meddwl y byddet ti'n hoffi gwybod 'mod i newydd glywed Mrs Lester, Maria a Steffan yn dod adre.'

23

Cysgodd Hanna fel twrch. Chlywodd hi mo'r drws ym mhen draw'r coridor yn agor a chau yn ystod y nos, na chlywed lleisiau cyffrous Mam a Dad, Mrs Lester, Steffan a Maria. Fore trannoeth, fe ddeffrodd i sain y radio a'r teledu. Yn y stafell fyw roedd Lili a Losin yn gwylio Cyw, ac yn y gegin roedd Harri a Mam a Dad yn gwrando ar y radio.

'Mae 'na ddatblygiadau cyffrous ger pentref Llanaron,' meddai'r gohebydd. 'Neithiwr arestiwyd criw o smyglwyr oedd wedi glanio mewn hofrennydd ger y pentre, ac wedi torri i mewn i dŷ a fu unwaith yn gartre i un ohonyn nhw. Yn y tŷ darganfuwyd gwerth miliynau o bunnau . . .'

'Waw!' Chwibanodd Harri.

'. . . o ddiemwntau a gafodd eu cipio'n anghyfreithlon o wledydd Affrica. Gyda'r newyddion diweddara, dyma Iestyn Baker.'

'Ie, datblygiadau cyffrous iawn,' meddai Iestyn Baker yn bwysig. 'Ond o'r diwedd mae'r heddlu wedi datrys y broblem sy wedi bod yn eu blino ers misoedd lawer. Mae'r stori'n dechrau ym mis Hydref, pan arestiwyd dyn ar gyhuddiad o smyglo mewnfudwyr anghyfreithlon drwy borthladd Abertawe. Enw'r dyn hwnnw oedd Brian Lomax. Er i'r heddlu ei holi'n drwyadl, doedd dim posib darganfod o ble oedd e wedi dod, na ble roedd e'n byw. Erbyn hyn rydyn ni'n gwybod ei fod e'n arfer gweithio fel garddwr yn ardal Llanaron.'

'O!' Agorodd ceg pawb led y pen mewn sioc.

'Ond nid Brian Lomax oedd ei enw bryd hynny,' meddai Iestyn Baker. 'Roedd e'n defnyddio sawl enw ffug i dwyllo'r heddlu. Terry Mack oedd e i bobl Llanaron.'

'A Steffan Lester,' meddai Harri. 'Roedd e'n esgus bod yn Steffan, yn doedd? 'Na pam oedd yr heddlu'n holi am Steffan drwy'r amser.'

'Er bod Brian Lomax yn y carchar, roedd gweddill y giang yn dal yn rhydd. Yn ystod y misoedd diwethaf, yn ogystal â smyglo gwerth miliynau o bunnau o ddiemwntau amrwd, mae'r heddlu'n ymchwilio i honiad fod y giang wedi cludo rhagor o bobl druenus i'r wlad, gan wneud iddyn nhw dalu'n ddrud. Yng ngorllewin Cymru bu sawl adroddiad am gychod mewn trafferthion ar y môr. Oedd 'na gychod, tybed? Neu ceisio tynnu sylw oddi ar yr hofrennydd oedd y smyglwyr? Mae un peth yn sicr, meddai'r heddlu, mae'r giang yma wedi peryglu bywydau llawer o bobl, drwy wastraffu amser y gwasanaethau brys. Ond yn ffodus i ni . . .'

Trodd Hanna'i phen yn sydyn. Roedd hi wedi clywed sŵn bolltau'n gwichian ym mhen draw'r landin. 'Mae rhywun yn dod i mewn,' sibrydodd.

Ar y gair ffrwydrodd bloedd hapus Lili drwy'r fflat. Rhedodd Harri a Hanna i'r landin a gweld Maria'n dod drwy'r drws mewnol, a Lili'n glynu wrthi fel mwnci.

'Sori!' meddai Maria wrth weld eu hwynebau syn. 'Fe wnes i guro, ond . . .'

'Maria!' Cyn iddi orffen siarad, roedd Harri a Hanna wedi rhedeg tuag ati a thaflu'u breichiau amdani. Sylwon nhw ddim ar y dyn ifanc oedd yn sefyll yn y drws nes i Maria droi tuag ato.

'Dere i mewn, Este,' galwodd Maria. 'Dere i gwrdd â'm ffrindiau i.' Estynnodd ei llaw a'i dynnu tuag ati. 'Dyna braf yw gallu'ch cyflwyno chi o'r diwedd. Este, dyma Harri, Hanna a Lili.'

'Helô, Harri, Hanna a Lili!' meddai Este'n llon.

Heblaw am y gwallt golau, doedd e ddim yn
debyg o gwbl i'r bachgen yn y llun, sylwodd
Hanna. Roedd e'n wên o glust i glust, a chrychau
chwerthin o gwmpas ei lygaid. Edrychodd Maria
ac Este ar ei gilydd yn hapus, a'u dwylo'n cydio'n
dynn.

'Blant,' meddai Maria'n falch. 'Dyma fy narpar ŵr i, Este, neu Steffan i chi.'

'Steffan?' Cododd Lili'i phen. Mewn chwinc roedd hi wedi gwingo o afael Maria, ac yn dianc nerth ei thraed i'r stafell fyw.

'O! Be sy'n bod?' meddai Maria'n siomedig.

'Lili!' galwodd Mam, a mynd i chwilio amdani.

Yn y stafell fyw doedd dim sôn am Lili, ond roedd y soffa'n crynu. Aeth Harri a Hanna i sbecian. Y tu ôl i'r soffa roedd Lili'n swatio a'i braich am Losin. Pan welodd hi ei brawd a'i chwaer yn edrych arni, fe sgrechiodd, neidio ar ei thraed a rhedeg yn ôl ar hyd y landin.

'Mrs Lester!' llefodd Lili gan hyrddio'i hun drwy'r drws mewn storm o snwffian a chrio.

'Be sy'n bod?' atebodd llais pryderus Mrs Lester o lawr gwaelod Plas Hirfryn.

Edrychodd Mam ar Steffan yn llawn embaras. 'Sori,' meddai. 'Dyw hi ddim yn ymddwyn fel hyn fel arfer.'

'Gwell i ti fynd ar ei hôl hi,' meddai Dad, wedi i'r snwffian dawelu.

'Ie,' meddai Mam, ond yr eiliad honno daeth cnoc ar y drws mewnol. Cerddodd Mrs Lester a Lili'n dawel bach ar hyd y landin a sefyll o flaen pawb law yn llaw.

'Mae gyda fi rywbeth i'w ddweud wrthoch chi,' meddai Mrs Lester. 'Mae'n bwysig ein bod ni'n deall ein gilydd o'r dechrau un, on'd yw hi, Lili?'

Nodiodd Lili a swatio'n nes ati.

'Ci Lili yw Losin,' meddai Mrs Lester gan edrych ar ei mab yn ymddiheurol. 'Ci Steffan oedd e erstalwm, ond ci Lili yw e nawr.'

'Wel, wrth gwrs mai ci Lili yw e! Does dim angen ci arna i erbyn hyn,' meddai Steffan Lester, a gwenu ar ei fam. 'Ac mae gen i rywbeth i ti a Losin, Lili. Edrych.' Plygodd o'i blaen, estyn i'w boced a rhoi bwndel bach brown yn ei llaw.

Edrychodd Lili ar y bwndel ac yna ar Mrs Lester.

'Clust Losin!' sibrydodd Lili, a lledodd gwên fawr hapus dros wynebau'r ddwy.

'Ie,' meddai Steffan. 'Mae hi wedi dod yn ôl i Blas Hirfryn o'r diwedd, a nawr mae popeth yn iawn.'

24

Y prynhawn Gwener canlynol roedd Harri a Hanna'n eistedd yn neuadd Ysgol Llanaron gyda gweddill yr ysgol, yn gwrando ar eu prifathro.

'Ry'n ni wedi cael amser cyffrous iawn yn Llanaron yn ddiweddar,' meddai Mr Edwards, 'ond i rai plant ar draws y byd, mae pob wythnos yn ansicr a pheryglus. Heddi, ry'n ni'n lwcus iawn o gael cwmni dau berson . . .'

'Steffan a Maria!' meddai llais bach o ganol plant y dosbarth derbyn.

Rholiodd Harri a Hanna'u llygaid ar ei gilydd.

'Ie, Lili,' meddai Mr Edwards gyda gwên. 'Steffan Lester a Maria Alvarez, dau berson sy'n gwneud eu gorau glas i helpu pobl ar draws y byd, ac sy ar hyn o bryd yn gweithio yng Ngholombia.'

Curodd pawb eu dwylo, wrth i Steffan a Maria, oedd yn eistedd yng nghefn y llwyfan, godi ar eu traed.

'Steffan a Maria,' meddai Mr Edwards wrthyn nhw. 'Enw ein drama Nadolig ni oedd "Cyfrinach Plas Hirfryn". Yn ddiweddar mae Plas Hirfryn wedi datgelu llawer o gyfrinachau, ond yr un orau i gyd yw mai chi sy wedi ein rhoi ni mewn cysylltiad â'r ysgol yng Ngholombia. Diolch yn fawr i chi am ddod i siarad â ni heddi, ac am fod yn gymaint o ffrindiau i ni, ac i blant ar draws y byd.'

Curodd pawb eu dwylo eto, a stampio'u traed ar y llawr.

Wrth i Steffan ddechrau siarad, trodd Hanna i edrych ar Mrs Stella Lester oedd yn eistedd yng nghefn y neuadd, yn gwylio'i mab a'i llygaid yn disgleirio. Roedd camera yn ei llaw, ac roedd hi'n paratoi i dynnu llun.

Llun dyn ifanc gwallt golau a'i gariad. Y llun hwnnw fyddai'n cymryd lle llun y bachgen bach yn y ffrâm arian, sef y Steffan Lester wyth oed, oedd yn torri'i galon wrth gael ei yrru i ffwrdd i ysgol breswyl am y tro cynta erioed.

Roedd y llun hwnnw'n perthyn i'r hen amser; bryd hynny, fel y gwyddai Mrs Lester, doedd neb ond Losin yn gwrando.